아련하게 잊혀 가는

기억

記 憶

기억

발행	2024년 02월 13일
저자	조원
펴낸이	한건희
펴낸곳	주식회사 부크크
출판사등록	2014. 07. 15(제2014-16호)
주소	서울특별시 금천구 가산디지털1로 119 A동 305호
전화	1670-8316
E-mail	info@bookk.co.kr
ISBN	979-11-410-7122-6

www.bookk.co.kr

장편소설

기억

조 원 지음

CONTENTS

소이산 정상에서 바라본 철원평야

작가의 말

사람의 인생을 하나의 수직선으로 본다면, 그 위의 한 점은 지금 내가 사는 현재이다. 이 점을 왼쪽으로 옮기면 그 사람의 과거가 된다.

다른 여러 수직선 들과 겹치는 그 순간의 접점들은 때로는 질긴 인연이 되기도 하고, 때로는 빨리 벗어나야 할 악연이 되기도 한다.

인생의 궤적에서 20대는 푸르름, 30대는 찬란함, 40대의 무르익음으로 그 시절을 표현할 수 있다. 인생의 수직선은 그렇게 우리를 오른편으로 차츰 옮기게 한다.

지나온 길을 문득 돌아보면 그동안 두고 온 것, 버리고 온 것, 잊고 온 것들이 그때에서야 보인다.

주인공 '조동우'는 중년에 겪을 수 있는 사랑, 번민, 애착, 질투, 위로, 슬픔 등 인간이 가질 수 있는 수많은 감정을 겪게 된다.

잠시 무거운 짐을 내려놓고 큰 느티나무 그늘 밑에서 시원한 물을 벌컥벌컥 마시며 잘 만들어진 너른 평상에 앉아 편하게 쉬어보자. 어느 순간 푸르른 가을하늘이 보이고, 길가에 핀 분홍색 코스모스가 보이고, 풀벌레 소리가 아름답게 들릴 것이다.

인생이 그런 것이다. 기억이 그런 것이다.

-曺 源- 2024. 철원.

Illustration : L. Y. Gyu / Photo by Choon

기　억(記憶)

제 1화

기억을 걷다

이른 아침이다. 내가 지금 서 있는 곳은 강원도 철원(鐵原) 인근의 한 산자락이다. 거의 매일 이곳을 오른다. 차츰 희미해져 가는 삶의 기억을 되살리고자 뇌에 신선한 공기를 불어 넣기 위함이다.

나의 뇌는 차츰 죽어가고 있다. 요즘 며칠간은 잠을 전혀 못 이룰 정도로 머리가 메말라가는 느낌이다. 고통이 익숙해져 고통으로 여겨지지도 않는다. 암 환우들이 통증을 그냥 달고 살 듯 그렇게 통증과 친구처럼 살아가고 있다.

어느 순간은 잠을 자는 것이 어떤 것인지 기억이 나지 않을 정도로 잠을 못 이룬 적이 많다. 10년 넘게 복용하고 있는 항우울증 약품 때문일까? 가끔 뇌를 쥐어짜는 듯한 느낌이 이젠 낯설지 않다. 힘든 기억을 잊고자 시작했던 신경정신과 진료가 이젠 내가 기억해야 할 것들까지 지우는 느낌이다. 선택적으로 일부분의 기억을 지우는 것은 불가능한 일이다.

사람의 이름인지 병의 이름인지도 모를 '알츠하이머'는 순간순간 머리를 찌른다. 기억력의 퇴행은 일상을 파괴하고 지적 기능을 무너뜨린다. 이제 1년째이다. 방금 전 스스로 했던 일조차 잘 기억하지 못할 때가 있다. 알츠하이머는 미국의 로널드 레이건 대통령, 영국의 마거릿 대처 등을 죽음으로 이끌었던 치명적인 질환이다.

가끔 내가 어디에 있는지조차 길을 잃을 때가 있다. 길가에 멍하니 서서 주변의 큰 건물을 보며 기억을 한참 더듬어야 할 때가 있다. 병원에서 빨리 알게 되어

진료를 제때 받을 수 있어서 지금은 많이 호전되었지만, 알츠하이머는 언제고 다시 날카롭게 공격할 것이다.

잠시 잠이 든 것 같다. 시계는 새벽 4시 20분을 가리키고 있다. 밖은 칠흑같이 깜깜하다. 베란다 밖으로 비치는 가로등의 불빛이 처연하다.

"오늘이 몇 일이지?"

혼잣말을 되뇌어 보지만 휴대전화의 도움 없이 스스로 떠올리기란 불가능에 가깝다는 것을 나도 이미 알고 있다. 예전 한 해, 두 해, 한 달, 두 달, 스스로 찢어내던 큼지막한 달력 종이가 기억을 야금야금 찢어가던 것도 모자라 이젠 어제와 오늘, 그리고 내일이 그다지 의미 있는 차이로 다가오지 못하는 것은 비단 나만의 고민이 아닐지도 모른다.

어쩌면 고민하는 만큼의 시간을 살아있는 것일지도 모른다. 고민마저 사치라는 생각이 찾아든다. 언젠가는 고민이라는 감정을 느낄 수 없을지도 모르기 때문이다. 기억을 잃어가는 것을 조금이라도 막으려 고개를 좌우로 심하게 흔들었다. 마치 고개라도 흔들어 꽁꽁 똬리를 틀고 있는 기억의 실마리라도 밟아 풀어내려는 듯.

오랜만에 잠을 잘 수 있어서인지 기분이 좋다. 천정

의 둥근 전등이 어렴풋이 희미하게 그 형체가 보인다. 누군가가 내려다보고 있는 듯해서 무섭다.

'잠을 잤었구나' 하는 생각이 들었다. '그래 이런 게 잠을 자는 거였지!' 자는 것이 무엇인지 잊지 않을 정도로만 가끔 이렇게 잠을 잔다. 그렇지 못할 때는 잠이 무엇인지, 잠을 어떻게 자는 것인지가 기억나지 않는다.

눈을 감고, 아무런 생각을 하지 않고, 꿈을 꾸며, 몸이 편안하게 누워서 자는 것이 잠을 자는 것이다. 그런데 그게 잘 안된다. 그렇게 된 것도 꽤 오랜 세월이 지났다. 우울증약 때문인지 알츠하이머 때문인지 모르겠지만 어느 순간부터는 잠을 잔다는 것이 무엇인지 자꾸 되뇌어 생각해 보게 되었다. 불안해서 잠을 못 자는 것인지 잠을 못 자서 불안한 것인지 모른다. 중요한 건 지금 상태가 그렇다는 사실이다.

불안은 불안이라는 이름으로 나를 불안하게 만든다. 누군가 말했다. "불안은 모든 사람이 24시간 동안 잘 때만 빼고 느끼는 감정이다. 불안은 아주 얇은 종이라서 우리는 이 불안이 쌓이지 않게 부지런히 오늘은 오늘의 불안을, 내일은 내일의 불안을 치워야 한다."

좋은 말이다. 그런데 쉽지 않다. 아주 얇은 종이는 쉽게 쌓인다. 한 장씩 치우는 일이 쉬운 일이 아니다. 얇은 종이가 쌓이는 것은 잘 표시가 나지 않는다. 어느덧 나도 모르는 사이 일정한 두께가 되어야 쌓였다는 것을 깨닫게 된다. 얇으면 얇을수록 걷어내는 일이 쉽지 않다. 얇은 종이는 한 장씩 걷어내기에 손에 잘 잡히지도 않는다. 그래도 불안은 '언제고 조금이라도 걷어내야 할 종이'이다. 불안은 머릿속을 억누르고 기억을 갉아먹는다. 불안보다 더 두려운 것은 따로 있다. 내가 살아온 발자국들이 기억나지 않는 것이다.

불안으로 인한 기억의 저장 창고가 잠식되어 내가 누구인지 어디서 살았는지 무엇을 했는지, 나아가 인생 전체를 잊을까 그것이 너무 무섭다. 난 최근에 누군가를 하늘나라로 떠나보냈다.

ㅜ

'쇠 둘레'는 삼국시대부터 썼던 지명 '철원(鐵圓)'을 우리말로 풀어 쓴 말이며 고려 말에 '철원(鐵原)'으로 한자 지명이 바뀌었다. 어떤 지명이든 쇠 철(鐵)자가 들어간 것으로 보아 그 땅이 쇠를 비롯한 광물과 관련이 있겠다 싶었는데 그곳이 바로 용암이 분출되어 켜켜이 층을 이룬 지질학의 보고였다. 크고 작은 폭포와 용암대지가 펼쳐진 철원평야, 그 사이를 깊이 파고든 한탄강이 흐르는 지역이 2020년에 유네스코가 인증하는 세계지질공원으로 전 세계에 알려지기 시작했다.

나는 지금 철원 인근 조그만 사립대학의 역사학과 교수이다. 고등학교에서 역사를 가르치다 대학 전임교수로 임용이 되었다. 46세이며 10년 전에 상처했다. 지금은 서울에서 대학교에 재학 중인 딸이 있다. 아내가 죽은 이후 10년 넘게 나 혼자 돌보았다. 그래도 특별히 모난 데 없이 자라 준 딸이 고맙기만 하다.

철원에서 살게 된 지는 10년 정도 되었다. 상처한 직후 도망치듯 들어온 곳이 바로 이곳 철원이다. 북적북적한 도시의 생활에 염증을 느끼고 있었던 터라 기분도 전환할 겸 아예 이곳으로 이사를 오게 되었다.

젊은 시절 철원 인근에서 군 생활을 했었다. 오랜만에 온 철원은 예전 그대로이다. 특별히 발전하거나 변화한 것이 거의 없었다. 군복을 입고 훈련받던 산야도, 개천도, 여름이면 푸른색으로 뒤덮고, 가을이면 붉게 물들던 단풍도, 겨울이면 영하 30도를 밑돌던 매서운 추위도 그대로였다. 철원에서 학창 시절을 보냈다.

철원의 하늘은 이상할 만치 매번 슬프고 음울하다. 6·25 한국전쟁 때 많은 희생이 있었던 곳이라서일까? 곳곳에 전적비와 위령비가 세워져 있다. 잿빛 하늘을 본 기억만 나고 화창하고 청명한 날씨를 본 기억이 별로 없다. 기분 탓일까? 야트막한 산야를 사이에 두고 서서히 감도는 구름은 내 마음조차 우울하게 한다.

고등학교 재학 중에 읽었던 김주영 작가의 '쇠 둘레를 찾아서'[1]라는 단편소설을 다시 찾아본다. 당시 어느 월간문학지에서 우연히 읽게 되었던 기억이 난다. 이상하게도 아직도 기억이 지워지지 않았다. 철원이라는 이름이 제목에 들어가지 않아 소설의 배경이 철원이라는 생각을 하지 못했다. 이 소설이 왜 아직 기억의 편린(片鱗)으로 남아있을까?

하여튼 30년이나 된 소설을 다시 찾아보는 일이 쉽지는 않다. 요즘처럼 인터넷에 컴퓨터 파일로 올려져 있지 않기 때문에 그냥 원본을 찾는 수밖에 다른 도리가 없다.

---

1) 김주영, 『1987 제11회 이상문학상 작품집』(문학사상사, 1987)

헌책방이 모여있는 청계천을 한 달여간 뒤지고 다녔다. 마침내 그 책, 아니 그 소설을 찾을 수 있었다. 그래, 기억이란 이런 것이겠지. 어디에 숨어있는지 모르지만 언젠가는 다시 찾아낼 수 있는 작디작은 조각들.

힘들여 찾은 것일수록 그 소중함이 몇 곱절 더 크게 느껴진다. 인터넷 검색으로 몇 분 만에 찾아낸 자료보다 오랜 시간을 서서히 묵히고 묵혀야 우러 나오는 큰 항아리 속의 시커먼 간장 같은 맛이다.

'쇠 둘레를 찾아서'의 일부분이다.

"신실한 길벗과의 동행일지라도 초행길의 길손들이라면 그곳을 정확하게 찾아갈 수 있는 사람은 드물 것이다. 아니 십중팔구는 우리처럼 필경 그곳을 찾지 못하는 허행이기 십상이겠다. 박삼재 씨와 나의 경우도 그런 점에선 예외일 수 없었다.

시중에 나돌고 있는 어떤 조잡한 지도에도 그 지명은 적혀 있고 현실적으로도 엄연히 존재하고 있는 고장일뿐더러 긴 역사 끝에 지금은 인구 6만 명 이상이 살고 있는 고장인데도 그곳을 똑바로 찾아갈 수 있는 사람은 드물다.

처음부터 계획되었던 여행은 아니었다. 그날 토요일 오후, 우리 두 사람은 승강기에서부터 우연한 동행이 되어 방송국 정문을 나서고 있었다. 우리는 무작정 고석정으로 향하기로 하였다. 내가 육칠 년 전에 다녀간 곳이었음에도 그곳은 찾기가 매우 어려웠다. 철원으로 가야 고석정이 나오지만, 우리가 들어온 철원 시내는 내가 알고 있던 철원이 아니었다."[2]

"동송읍을 철원이라 하고 또 갈말읍을 철원이라고 부르기도 하지요. 그러나 철원은 실제로 여기 없습니다. 동송읍을 철원의 상가 지역이라 하거나 갈말읍을 관청 거리라고 부르면 몰라두요."

소설 속에서 철원 토박이라고 스스로를 지칭하는 복덕방 주인의 말이다. '진짜 철원'은 비무장지대와 민통선 안에 존재한다. 농사를 위해 들어갈 수는 있지만 거주할 수가 없는 곳이다. 「쇠 둘레를 찾아서」는 실향민이 아닌 실향민이 되어 살아가는 철원 사람들의 모습을 잘 그리고 있는 작품이다.[3]

내친김에 철원을 소재로 하는 영화가 있는지 인터넷

---

2) 네이버 지식백과, 쇠둘레를 찾아서 (한국문예위원회, 한국문예위원회)
3) 네이버 지식백과, 「쇠둘레를 찾아서」 (한국향토문화전자대전)

의 초록창을 뒤져 보았다. '철원 기행'[4] 이라는 영화가 하나 있었다. 2016년에 개봉된 독립영화이다. 그 줄거리는 이렇다.

평생을 철원의 고등학교 교사로 재직한 아버지가 정년 퇴임을 하는 날, 각자 떨어져 살던 어머니와 큰 아들 내외, 막내아들은 한겨울의 철원으로 향한다. 초라하기만 한 퇴임식에 이어진 순조롭지 않은 저녁 식사 자리에서 아버지는 말한다. "이혼하기로 했다."

아버지의 폭탄선언 후 폭설이 내린 철원에서 2박 3일간 예기치 않은 동거를 하게 된 가족. 말수가 적고 고집이 센 아버지와 감정을 숨기지 않는 독설가 어머니, 의뭉스러운 큰아들과 다정하지만, 성격이 조급한 며느리, 철없는 막내아들까지 각자 너무 다른 가족들은 겨울의 끝에서 서로의 속마음을 들여다보기 시작한다.

가족에게 가는 길은 언제나 '여정'이 된다.[5]

비혼은 늘어나며 일인 세대는 증가한다. 저출산이 어느덧 사회현상이 되어버렸고 이에 따른 가족의 해체는

4) 2017 4회 들꽃영화상(극영화 신인감독상), 2014 19회 부산국제영화제(뉴 커런츠상)
5) naver.com 영화

어쩌면 자연스러운 현상일지도 모른다. 타인과도 같은 가족, 가족과도 같은 타인. 어쩌면 가족과 타인의 구분이 모호해질 정도로 애매해진 지금이다.

'철원 기행'에서의 가족이 그렇다. 각자의 혈연으로 연결되어 있지만 실상은 타인처럼 살아가는 현 시대 가족들의 이야기이다.

아버지의 퇴직과 함께 발표된 이혼 선언은 오랜만에 보인 가족들에게는 충격을 주게 된다. 결국 가족은 타인의 거리만큼도 가까워지지 못하게 된다. 앞으로의 우리 사회를 예언이라도 한 것처럼 영화는 먹먹한 느낌을 준다. 예전에 보았던 가족을 주제로 한 영화는 대부분 해피엔딩이었다. 가족의 소중함을 일깨워 주려는 것이 영화의 중심 주제였다. 이 영화는 누구보다 단란하고 화목했던 시간이 저물어 가는 것을 이야기한다. 철원을 배경으로 하여.

간신히 붙어 있는 누런 종이에 침을 묻혀 넘겨 가며 다시 읽어본다. 고등학생 때와는 느낌이 사뭇 다르다.

9월, 갓 물들기 시작한 은행 나뭇잎은 색다른 정취가 있다. 푸른색과 노란색을 반반씩 띠고 있는 은행잎은 한 조각은 여름, 나머지 한 조각은 가을이다. 은행잎의 조그만 홈은 그곳을 가득 채운 것보다 훨씬 아름답다. 마치 여름과 가을의 경계를 표시하는 포스트잇과 같다.

높다란 나무 위를 올려다보았다. 큼지막한 플라타너스 나뭇잎들 사이로 언뜻언뜻 맑고 명징한 하늘이 보인다. 하늘 전체를 보는 것보다 어쩌면 더 소담스럽다. 모든 것을 활짝 열어 보여주는 것보다. 아끼듯 조금씩 살짝살짝 보여주는 가을이 어쩐지 밉지는 않다. 짧아져 버린 계절의 묘한 장난기랄까?

저물어 가는 늦여름 저녁, 처음으로 날씨가 쌀쌀했던 며칠을 뒤따라 드넓은 하늘보다 더 부드럽기만 한 색채가, 그리고 신선한 바람의 부드러운 손길이 가을이 왔음을 알려준다.

반쯤 물든 은행잎은 사랑하는 사람을 기다리는 누군가와 같다. 마치 가을이 빨리 오기를 기다리는 무언의 항변일까?

철원의 단풍은 이르게 물든다. 평균 기온이 낮아서겠지만 조급히 물든 철원의 단풍은 우리나라 전체에 가을이 왔음을 가장 빨리 알려주는 전령사 같다.

여러 이유로 치었던 사람들은 말없이 자리를 지키는 바위와 나무로 변해 나를 위로 해준다. 철원은 나에게 그런 의미가 잔뜩 스며있는 곳이다.

주말 밤이면 서울 강동구에 있는 집 부근의 한 지하 포장마차를 들르는 일이 어느덧 루틴처럼 자리 잡아버렸다. 벌써 십수 년 전부터의 습관이다.

주인인 장 씨 아저씨 내외와는 오랜 친구처럼 지낸다. 그때는 주인 부부 내외도 젊은 편이었다. 물론 나도 30대 초반의 젊은 나이였다.

어느 날 밤늦은 시간, 잠이 잘 오지 않아 집을 나섰는데 어느 여자고등학교 앞에 있는 포장마차가 보였다. 그 당시에는 천막처럼 생긴 '진짜' 포장마차였다. 지금은 거의 볼 수가 없지만, 그 당시만 해도 서민이나 주머니 사정이 딱한 대학생들의 단골 아지트였다.

이곳은 이름만 포장마차를 유지한 채 지금은 어느 허름한 건물의 지하에서 영업을 계속하고 있다.

"오랜만이네?"

주인인 장 씨 아저씨가 어색한 웃음으로 반겼다.

"장사는 잘되세요?"

"그럭저럭, 코로나 때부터는 영 힘드네"

"다들 그렇겠지요"

항상 제육볶음과 계란말이, 그리고 약간의 맥주와 막

걸리를 먹는다. 그것도 하나의 루틴이다.

"그거 해 줘?"

장 씨 아저씨는 무엇을 시킬지 이미 알고 있다. 혼자 먹는 술은 재미있다. 가끔 장 씨 아저씨가 사는 얘기며 자식 얘기며 이런저런 이야기들을 거들어 준다. 그게 또 '혼술'의 색다른 묘미이기도 하다.

나와 직접적으로 연관되지 않은 사람과의 대화는 부담이 없다. 다른 사람에게 이야기의 내용이 전해질 위험도 없을뿐더러 업무와는 전혀 다른 이야기를 나누는 것은 심적으로 편안함을 느끼게 해준다. 그는 내가 교수라는 사실도 모르며 알려고도 하지 않는다. 아니, 알 필요조차도 없다. 이야기를 나누는 데 아무런 방해가 되지 않는다. 그리고 그도 내가 어떤 직업을 가졌건 대화를 하는 데 전혀 상관이 없다. 그야말로 인간과 인간이 인간적으로 대화하는 것이다. 편하기 그지없다.

"다음에 또 올게요."

그렇게 가볍게 인사를 하고 가게를 나왔다.

밤에 술을 약간 마셔서인지 아침부터 머리가 무겁다. 나는 '선택적 세로토닌 재흡수 저해제'를 복용하고 있다. 이 약물은 뇌의 신경전달물질인 세로토닌을 조절해

우울증세를 완화하는데, 사실상 이 성분은 수면을 자연스럽게 유도하는 역할을 하기도 한다. 그래서 낮에는 될 수 있으면 약물을 복용하지 않는다. 항우울제 특성상 그 효과를 단시간에 보기 어렵고 복용 후에는 졸리고 몸이 가라앉는 느낌이 좋지 않기 때문이다. 그런 싸움 아닌 싸움을 거의 매일 하고 있다. 그것도 꽤 오랜 세월 동안.

기억을 잃어가면서 생각한 것은, "과거의 기억은 영원히는 내 것이 될 수 없다"라는 것이었다. 기억을 잃던, 잃지 않던 기억은 내 소유가 될 수 없다. 그래서 대안으로 생각한 것이 바로바로 기록하는 것이다.

현실에서의 내 행동과 사고를 기록한다는 것은, 기억을 읽고 난 후의 나와 대화할 수 있는 도구가 될 수 있으며 의식의 변화 과정을 들여다볼 수도 있다.

어느덧 기록하는 일이 습관이 되어버렸다. 무언가를 세세히 기록하면 마시멜로처럼 말랑말랑하던 그 무언가가 손에 잡히고 만져지는 딱딱한 것으로 바뀌는 느낌이다. 일상생활의 여전함과 꾸준함, 소중함을 구체적인 형태로 기억할 수 있다.

ㅜ

젊음은 높은 야산에 우뚝 서 있는 한그루 푸르른 소나무 같다. 대학에서 학생을 가르치는 일은 그래서 더 재미있다. 젊음의 최고 절정기에서 자신의 삶을 개척하고 고민하는 그들을 볼 때면 나의 젊었을 때의 생각이 나는 것은 당연한 일일지 모른다. 하여튼, 이렇게 대학에서 갓 성인이 된 푸른 청춘들을 가르치고 함께 공부하는 일이 너무 좋다.

사람은 누구나 자기 경험에 가치를 부여하며 산다. 학생들을 가르침으로써 긍정적인 경험을 쌓아가고 있다. 그래서 더더욱 만족한다.

대학에서 가르치는 일은 고등학교에서 입시에 찌든 학생들을 가르치는 것보다 상대적으로 좋다. 학문에 대한 순수한 열정을 그들에게 전할 수 있고, 한편으로는 그들의 신선한 아이디어를 가까운 곳에서 접할 수 있어 삶의 에너지를 얻고 나 자신을 채찍질할 수 있기 때문이다.

매 학기 종강을 앞둔 마지막 강의에서 학생들에게 이야기해 주곤 한다.

"흘러가는 인연 하나하나에 지나친 의미를 부여할 필요 없어요. 떠날 인연은 물이 흘러가듯이 그저 멀어질 것이니까요."

마지막 만남에서 그들에게 사람이 만나는 것과 헤어지는 것에 대하여 약간은 철학적인 의미의 이야기를 남겨 주고 싶었다.

"교수님, 인연이란 게 뭘까요? 뭐라고 생각하시나요?"

어느 학생이 재빠르게 의문을 표시한다. 사실 역사학 강의에서 '인연'이라는 주제의 이야기는 논쟁거리가 되기 힘들다.

"인연은 그리고 어느 정도 살게 되면 여러분이 자연스럽게 깨닫게 됩니다."

뻔한 답을 뻔하지 않은 것처럼 이야기해 주었다. 물론 20대 초반에 이해하기란 불가능하다. 하지만 그들이 언젠가 나이 들었을 때, 수많은 마음의 상처가 아물 무렵에 아마 이 이야기를 이해할 수 있으리라.

인연에 대한 대답 대신 학생들에게 한 편의 시를 찬찬히 읽어주었다.

… 한 귀로 듣고 한 귀로 흘리는 것을 즐겨 제발 욕해 달라고 친구에게 빌었을 때 가장 자신 있는 정신의 일부를 떼어내어 완벽한 몸을 빚으려 했을 때 매일 밤 치욕을 우유처럼 벌컥벌컥 들이켜고 잠들면 꿈의 키가 쑥쑥 자랐을 때 그림자가 여러 갈래로 갈라지는 가로등과 가로등 사이에서 그 그림자들 거느리고 일생을 보낼 수 있을 것 같았을 때 사랑한다는 것과 완전히 무너진다는 것이 같은 말이었을 때 솔직히 말하자면 아프지 않고 멀쩡한 생을 남몰래 흠모했을 때 그러니까 말하자면 너무너무 살고 싶어서 그냥 콱 죽어버리고 싶었을 때 그때 꽃피는 푸르른 봄이라는 일생에 단 한 번뿐이라는 청춘이라는. [6]

쉼표나 마침표, 느낌표, 물음표 하나 없이 처음부터 끝까지 이어지는 시(詩)는 마치 앞만 보며 달리는 청춘의 모습 같다. 인생의 가장 화려한 시기인 듯하지만, 한편으로는 숱한 고민과 번뇌의 시간이기도 하다. 너무 살고 싶어서 그냥 콱 죽어버리고 싶을 정도로 인생에 대한 집착과 애착이 동시에 맴도는 시기이다.

오죽하면 청춘(靑春) 즉, 푸르른 봄이라고 그 시간을 표현했을까….

---

6) 심보선, 청춘 <슬픔이 없는 십오 초> (문학과지성사) 중에서

"교수님! 꼰대 같으세요."

자주 듣는 말이다. 역사적으로 이야기를 풀어주었다.

"꼰대들이 자주 하는 말이 '요즘 애들 버릇없어!'라는 말이지요? '꼰대 같아요! 꼰대예요!'라는 말과 상치되는 말이기도 하고요.

고대 수메르(기원전 1700년)의 기록에 '우리가 요즘의 변덕스러운 청년들에게 의존한다면 우리의 미래는 없을 것이다. 지금의 청년들은 이루 다 말할 수 없이 무분별하다. 내가 어릴 때는 조신하게 행동하고 어른들을 존경하도록 배웠으나 지금의 청년들은 지나치게 약삭빠르고 규율을 참지 못한다.'라고 기록되어 있어요. 우리들이 잘 아는 소크라테스조차 기원전 425년에 '요즘 젊은이들은 버릇이 없어서 우려스럽다.'라고 하며 젊은 세대들을 걱정하지요.

그만큼 오래전부터 윗세대들은 다음 세대들을 신뢰하기 어렵다는 말입니다. 그리고 '꼰대'라는 말은 일제강점기부터 사용됐다는 말이 있어요. 프랑스어로 백작을 지칭하는 말인 콩테(Comte)의 일본식 발음이 콘데인데 친일파들이 일제에게 백작의 작위를 받고 잘난척하며 자신을 '콘데'라고 자랑스럽게 부르는 것에서 유래되었다고 하는 말이 있어요.

어쨌든 꼰대란 말은 '구태의연한 사고방식에서 벗어나지 못하는 사람' 정도로 일단 이해하면 될 것 같습니다. 일단, 꼰대는 대부분 타인의 사생활을 간섭하거나 자기 과거의 영광에 빠져있습니다.

자기의 삶이 가장 성공한 삶이라고 생각하며 자신의 살아온 길이 가장 바른길이라고 굳게 믿습니다. 요즘 말로 '근자감[7)]' 같은 거지요."

학생들은 일제히 박수를 쳐 댔다. 내 이야기에 공감하는 듯 보였다. 계속해 설명을 이어갔다.

"자신이 젊었을 때 했던 일을 무슨 영웅의 무용담이나 된 듯이 상대방이 듣던, 듣지 않던 끊임없이 반복해서 이야기합니다. 여러 사람이 참석한 회식에서도 마찬가지겠지요. 회식이 마치 자신의 독주회인 것처럼 끊임없이 혼자만 이야기합니다. 각자의 삶은 소중하며 꼭 높은 직위가 되어야만 성공한 삶이 아닐지인데, 자신처

7) '근거 없는 자신감'의 줄임말

럼 높은 지위에 오르지 못한 사람은 인생의 실패자인 것처럼 비하하며 가엾게 여깁니다.

그들은 사고가 경직되어 다른 생각을 받아들이지 못하고 타인에게 공감은커녕 나만의 정답을 강요하며 본인의 경험을 모두에게 인정받고자 하지요. 어렵게 시간을 내어 자리를 찾은 사람들은 시간이 더디게 가고 지치게 됩니다. 다시는 그 모임에 가지 않으려 하겠지요."

"그럼, 교수님께서는 꼰대라는 캐릭터는 어쩔 수 없이 계속 존재할 거로 생각하시나요?"

학생들의 관심과 공감은 계속된 질문으로 이어진다.

"전 사실 '꼰대'라기 보다는 세대 간의 격차라고 해석하고 싶어요. 윗세대들은 언제고 아랫세대들을 믿지 못하지요. '라떼는 말이야~'가 바로 그 말인데, 기성세대들의 전형적인 사고방식이지요. 시대가 언제이건 윗세대들은 아랫세대들이 자기들보다 훨씬 못하다고 생각하는 거 같아요. 군대 제대하는 사람들이 조금만 있으면 '군대 곧 망한다'라고 걱정한다거나 '군대 좋아졌다'라는 말로 후임들에 대한 불신 아닌 불신을 표현하잖아요. 하지만 그들이 제대하고 난 후에도 군대는 잘 돌아가고 망하지 않았거든요. 그런 것과 같다고 생각하면 될 것 같아요."

"교수님, 꼰대의 가장 큰 특징이 뭘까요? 쉽게 말씀하신다면요."

나름의 생각을 말해 주었다. 학생들은 의외로 꼰대나 세대 간 사고방식의 차이에 대하여 관심이 많아 보였다.

"다들 아시다시피 '꼰대'는 자기가 꼰대라는 사실을 모른다고 하잖아요. 어떨 때는 자기가 꼰대라고 공언하면서 아예 선수를 치는 사람도 있고요. 제 생각에는 나이가 들고 직위가 오를수록 '꼰대'가 되지 않는 것이 쉬운 일이 아닌 것 같아요. 그건 분명합니다. 자신도 모르게 그런 잔소리들이 입 밖으로 나와버리니까요. 자신이 그 지위에 오르기까지의 성과와 노력을 인정받고 싶어 하는 건 인간의 본성이니까요. 오히려 그것을 드러내지 않는 사람이 '겸손한 사람'으로 칭송받아야 하는 게 아닐까요?"

사실 이렇게 이야기해 주는 것도 꼰대라고 할 수 있다. 그렇지만 다른 방법이 없다. 그나마 학술적으로 이해시키는 것이 낫다. 그것이 내가 해야 할 일이기 때문이다. 단, 젊은이들 앞에서 꼰대처럼 행동하지 않는다는 조건이 선행되어야만 할 것이다.

학생들은 재미있다는 듯이 듣고는 있지만 속으로는 무슨 생각을 하고 있을지는 모른다.

강의가 끝나고 수줍게 무언가에 대하여 질문을 하는 학생들이 유독 마음에 들어온다. 학문적 호기심을 주체할 수 없어서 부끄러움을 무릅쓰고 어렵게 질문하는 학생들이 대견하기만 하다.

늦은 밤, 연구실에서 혼자 불을 켜고 조용히 공부할 때는 내 삶이 숨 쉬고 있다는 것을 느낀다. 그럴 때면 기억을 잃어가는 두려움도, 알츠하이머에 대한 위협도 잊힌다. 어쩌면 이 시간이 나를 괴롭히는 악마들로부터 스스로를 방어하는 유일한 시간일지도 모른다. 머리가 썩어가는 시간을 지연시키고 인생의 남은 시간을 영적(靈的)으로 연장할 수 있는, 흡사 암 환자에게 연명치료를 하는 것과 같은 효과라는 생각이 들었다.

그렇지만 언제 어느 시간과 공간에서 그들은 날 무너뜨리려고 호시탐탐 기회를 엿보고 있다. 언제고 무너질 때를 대비할 뿐이다. 그나마 지금은 그런 위협도 그다지 신경 쓰이지 않는다. 그냥 될 대로 되라는 식이다. 상실의 벌을 받아들이는 것도 하늘이 정해진 운명일 터, 그저 그것들을 순순히 받아들이면 되는 일이다.

하지만 아이러니하게도 젊었을 때부터 니체를 신봉했다. 신은 죽었으므로 더 이상 신에 의존하지 말고 인간의 능력으로 인간의 시대를 살아가라는 말에 동의한다. 하지만 실제로 니체의 문장은 우리가 일반적으로 생각하는 것과는 조금 다른 의미이다. 정확한 문장은 "우리가 신을 죽여버린 것이다! 그대들과 내가... 신을 죽었다. 신을 죽인 것은 바로 우리들이다!"이다.

그리고 니체는 스스로 진리를 만들어 내며 살 것을 역설했다. 사람의 생애는 위대한 존재나 유일한 진리에 의해 결정되는 것이 아니라 자신의 고통과 노력으로 인하여 만들어진다는 것이다. 그러고 보면, 나는 전적인 운명론자는 아니다.

ㅜ

그날 스무 살 일기를 들춰 보게 되었다. 먼지 쌓인 서재의 책장, 그곳에서도 가장 깊숙이 묻혀있다시피 한 대학노트 몇 권을 뒤져 간신히 그때의 일기장을 찾았다. 지금 내가 가르치는 학생들의 나이에 난 무슨 생각을 하고 있었을까? 이럴 때면 마치 내가 과거의 시간으로 거슬러 가는 듯한 착각을 한다. 스무 살, 누구에게나 인생에 단 한 번 겪는, 활짝 핀 꽃과 같은 찬란한 시간에 난 무엇을 생각하고 어떻게 살았을까?

대학 1학년의 4월, 어느 날의 일기장에는 그 당시 내가 고민하던 모든 일들이 뚜렷하게 나타나 있었다.

정말 오래간만에 일기를 쓴다. 대학에 입학해서, 정말 새로운 세계에 와 있는 것만 같다는 느낌이 들었다. 고등학교 3년의 입시 준비로 힘들게 살아온 시간이 헛되지 않을 정도로 안락함을 느낀다.

단 3개월의 차이, 고3과 대학 1학년, 이렇게 엄청난 차이가 있다. 거의 매일 연속으로 환영회다, 각종 파티다 뭐다 하면서 벌어지는 술자리. 술에 잔뜩 취해서 밤늦게 들어올 때면 들리는 골목길에서의 컹컹! 개 짖는 소리. 고등학교 때에는 자율학습을 하느라 밤늦게 집에 오고 지금은 놀다 늦게 집에 온다. 왜 이렇게 차이가 날까?

3월에는 학교에 대한 불만도 많았고 친구, 선배들과도 관계가 별로 좋지 않아서 학교에 애착을 잘 느끼지 못했다. 아직까지도 솔직히 그런 감정을 억누를 수 없다. 특히 친구 관

계가 더욱 그렇다. 우리 과에 마음이 맞는 친구가 없다. 모두가 자기 뜻대로 하고 양보하지 않는다. 겉으로는 친한 척 할 때도 있지만 자기의 가슴속에서 우러나오는 마음은 주지 않는다. 고등학교 때에는 공부하느라 시간이 없어 대화할 여유가 거의 없었다. 그런데 대학생은 대화할 시간도 많은데 잘 친해지기 어렵다. 평소에는 친한 것 같지만 어느 땐가 나의 주위를 살펴보면 어느 고립된 사막에 혼자 내던져진 것 같은 야릇한 외로움을 느낀다. 며칠 전까지 딱 한 명의 마음에 드는 친구가 있었다. 일단 성격이 시원했고 나와 마음이 잘 맞았다. 그런데 이 친구가 엊그제 휴학을 했다. 그 친구가 나의 가슴에 있었던 만큼의 허탈감이 느껴진다.

학교에 가도 불만이고 부모님께도 불만이 가득하다. 내가 마음 놓고 있을 곳은 어디일까. 술을 마실 때만큼은 모든 것을 잊을 수가 있다. 잔뜩 취해서 큰 소리로 기타를 치고 노래를 부르면 힘든 일을 잠시나마 잊을 수가 있다. 정말 집을 나와서 친구와 함께 자취라도 했으면 좋겠다. 어느 때는 이런 생각을 한 적도 있다.

스물, 지금 이 학생들은 그때의 나와 비슷한 고민을 하고 있을 것이다. 공부, 진로, 연애, 가족, 친구 등, 지나고 보면 아무것도 아닌 일들이 그 당시에는 마치 내 인생이 끝나는 것으로 느껴질 정도로 좌절하고 고민한다. 오늘 내가 학생들에게 말해 주었던 '인연'과 마찬가지로 스무 살의 고민은 살아가면서 스스로가 자연스럽게 알아가게 될 것이다. 그 누구도 알려줄 수 없다.

난 커피, 담배, 음악, 영화에 중독되어 있다. 취미나 기호식품이라 표현되는 이런 것들에 깊이 도취해 있다. 이런 것들에 취해서 때로는 방황하고 때로는 마음을 안정시키는 자양분으로 삼고 있다.

중년의 남성들에게 어울림직 법한 클래식이나 트로트 음악을 좋아하는 것은 아니다. 발라드풍의 평범한 우리나라 노래를 좋아한다. 노래를 부른 가수의 연배가 있건 없건 상관없이 부드럽고 개성 있는 목소리의 자기감정이 흠뻑 배어 있는 노래를 즐겨 듣는다. 7개 종류의 음만으로 인간의 감정을 조정하는 가수가 그저 신기할 따름이다. 최소한 내가 중학생 때부터 이어폰은 내 소지품의 가장 중요한 1순위였다. 온종일 이어폰을 귀에 꽂고 있다시피 노래를 들었다. 아니 정확히 말하면, 노래를 듣지 않으면 불안했다.

노래를 들을 때 귀담아서 듣는 것은 비단 멜로디뿐만은 아니다. 가사를 수십 번 반복해 읽고 집중해서 듣는 습관이 있다. 그렇게 반복해서 듣다 보면 어느 순간에는 이 사람이 이 노래를 통해서 무엇을 이야기하고자 하는지가 엿보이게 된다. 그 이야기가 멜로디와 합쳐지고 가수의 감성과 가창력이 더해지면 최고의 노래가 된다.

들릴 듯 말듯 작은 크기의 볼륨으로 음악을 켜두고 잠을 청한다. 가사가 궁금해서 귀를 기울이고 집중하다 보면 스르르 잠이 든다. 물론 매번 성공하는 방법은 아니다.

잠을 자기 위해 육체적으로 힘든 운동을 심하게 할 때도 있다. 온몸은 쑤시고 뻐근한데 잠과는 별로 상관없었다. 매일매일 다른 방법으로 잠을 편히 자보려고 시도했다. 해답은 없었다. 잠을 자야겠다는 생각을 하지 않으면 오히려 잠이 더 잘 들었다.

원래 저녁 무렵에 커피를 마시면 잠을 이루지 못한다. 그런데, 어떨 때는 커피를 마셔도 더 빨리 잠들 때가 있었다. 그래서 결심했다. 잠이 오지 않으면 잠을 자려 애쓰지 말고 그 시간에 글을 쓰기로.

'어차피 안될 일에 시간과 정신을 허비하느니 그냥 하고 싶은 일을 그 시간에 하자. 책을 읽거나 글을 쓰

는 일.'

그러다 보니 어느덧 글의 분량도 차곡차곡 늘어났다. 그 많은 글을 보면 기분이 좋다. 잠을 못 자서 힘들고 지치던 시간이 어느새 뿌듯하고 좋은 마음으로 변해있었다.

노래를 듣는 것만으로도 마음의 위로와 사랑, 이별, 아쉬움, 헤어짐 등등 인생에서 수많은 시간이 지나야만 간신히 느낄 수 있는 수많은 종류의 감정들을 약 3분 내외의 짧은 순간에 느낄 수 있게 된다.

게다가 날씨나 기분, 계절, 노래를 들었을 당시의 기억, 추억, 이런 것들이 살짝씩 버무려지면서 같은 노래도 다르게 마음에 들어오게 된다. 이미 그 맛을 알아버렸다. 사소한 인생의 평범한 것들, 일상의 하찮음과 그 하찮음 속의 작은 소중함, 인간으로서 느낄 수 있는 모든 감정까지 그 맛을 음미할 수 있는 경지에 이르렀다.

영화를 좋아하고 즐기는 것도 비슷한 이유이다. 영화 속에는 음악, 이야기, 감정, 대화, 심리, 사람(캐릭터), 주제가 담겨 있다. 내가 좋아하는 모든 게 함께 모여있다. 그것도 채 2시간이 안 되는 짧은 시간 속에.

영화 자체를 평론가가 하듯 분석할 필요도 없다. 그

저 대사, 인물, 사건만 보면 된다. 아니, 정확히 말하면 보이고 들리는 것만 그대로 느끼면 된다. 그런 정도면 감동을 주기에 이미 충분하다. '꽂힌다'라는 표현이 너무나도 적합할 만큼 난 영화에 꽂혀 때론 현실과 구별이 안 될 정도로 몰입하곤 한다.

그 순간, 내가 주인공이 되어 있다. 주인공처럼 사랑하고, 기억을 잃고, 절망하고 때로는 행복을 느낀다. 이미 영화의 시간적, 공간적 배경에 담겨 있다.

이렇게 난 노래, 영화, 담배, 커피, 이것들에 꽂혀있고 그 이유와 의미에 대하여 생각할 여지도 없이 이미 오랜 시간 전부터 몸과 마음을 지탱하는 도구가 돼버렸다.

제 2화

만남, 우연처럼 인연처럼

집에 혼자 있을 때는 텔레비전을 거의 켜놓는 편이다. 잘 보지는 않아도 그냥 눈이 닿는 대로 채널을 돌리게 된다. 텔레비전을 켜 둔 채 그냥 잠이 들 때도 꽤 있다. OTT 영화를 틀어놓고 대사를 듣다 보면 어느새 잠이 쉽게 든 기억이 있기 때문이다. 그 이후로 잠을 자기 직전까지 거의 텔레비전을 켜둔다. 요즘에는 자동

종료 기능이 있어 종료예약을 미리 해 두곤 한다.

저녁에 커피를 마셔서인가 쉽게 잠을 이루지 못했다. 앞서 말했지만, 어느 때부터인가 저녁 7시 무렵 이후에 커피를 마시면 잠이 잘 오지 않는다. 약 기운도 소용없다. 이럴 때면 새벽까지 뜬눈으로 지새우기 일쑤다. 잠을 자는 것도, 잠을 안 자는 것도 아닌 몽롱한 상태가 계속된다. 몸도 머리도 무겁다. 커피와 수면제 성분이 혼합된 묵직한 느낌이 온몸에 스며든다. 잠을 자는데 내가 잠을 자고 있다는 것을 안다. 신기하다.

덕분에 늦은 밤의 적막하고 여유 있는 시간을 오랜만에 오롯이 경험한다. 다음날 온종일 무거워진 머리를 내어주는 대가로.

창문을 열어젖혔다.

차가운 겨울의 공기가 방으로 스며든다. 따듯한 방을 환기라도 시키듯 신선하고 차디찬 감촉이 내 몸을 감쌌다. 새벽의 공허함은 언제 느껴도 새롭다. 특히 추운 날의 새벽공기는 그 농후함이 훨씬 진하다. 인기척 하나 느낄 수 없는 겨울밤의 고요함이 좋다. 홀로 불을 밝히고 있는 가로등은 그 고요함을 더해준다.

신새벽, 겨울에만 느낄 수 있는 특별한 애상(愛想)이다.

며칠 사이 앓아 누었다. 다 귀찮고 그냥 누워만 있고 싶다. 무기력이 무언지를 체감하고 있었다.

이럴 때면, 건강할 때는 잘 모르던, 다른 무언가를 느낄 수 있다. 독한 감기약 탓인가, 약간의 환각 증세까지 느껴진다.

자연스럽게 내 가슴 깊숙이 숨어있던, 이를테면 기억에 잠시 스쳐 갔던 일들이 떠오른다. 혹시 마조히스트들이 즐기는 것이 바로 이런 느낌이 아닐까? 이 증상은 몸이 아플수록 더 깊어진다. 어떨 때는 이 세계에서 빠져나오지 않고 싶다는 생각도 든다. 봄 향기 머금은 꽃 내음이나 낙엽이 질 무렵의 산들바람, 평소에는 기억하지 못했던 찰나의 그 무엇까지 기억저장소에서 들춰낼 수 있다. 아니, 그냥 자연스럽게 떠오른다. 묘한 일이다.

〒

'저 녀석은 참 잘도 자네'

우리 집 고양이 이야기이다. 먼치킨 숏 레그 품종인데 다리가 짧아서 높은 곳에 올라가지 못한다. 덕분에 고양이를 키우면서 겪는 귀찮은 일들을 경험하지 않아도 된다.

저 녀석은 내가 볼 때마다 장소를 가리지 않고 곤히 자고 있다. 고양이는 하루에 20시간을 잔다고 하더니, 정말 볼 때마다 코까지 골며 자고 있다.

그것도 '꿀잠'이다. 세상모르고 자다가 내가 안아주면 그제야 기지개를 켜고 일어나 어슬렁어슬렁 거실을 돌아다닌다. 꼬리는 하늘을 향해 올리고 털은 삐쭉 서 있다. "나 잘 잤다. 넌 잘 못 잤지? 약 오르지?"라고 나에게 조롱하며 말하는 듯하다. 특히 낮에 더 잘 잔다. 저 녀석이 부럽기만 하다.

그래도 어젯밤에는 오랜만에 곤히 잘 수 있었다. 금요일이라 서울에 딸이 있는 집에 밤늦게 도착했고 딸과 오랜만에 맥주 한 두어 캔을 마시면서 이야기도 나누었다. 그래서인지 오랜만에 수면제의 도움 없이 깊은 잠에 빠질 수 있었나 보다.

꿈을 꾸었다. 꿈속에서 꿈을 꾸었다. 꿈에 내가 거실에서 자는데 그 꿈속에서 또 꿈을 꾸었다.

옛날 내가 다니던 시골 초등학교 운동장에 내가 서 있었다. 벤치에 쭈그려 앉아서 즐겁게 놀고 있는 아이

들을 바라보고 있었다. 그리고 그중에서 내가 친하게 지내던 아이를 찾고 있었다. 그 친구를 찾아 동네를 돌아다니고 친구의 집에 가서 부모님께 친구가 어디 갔는지 물어보았다.

가끔 이런 꿈을 꾼다. 그러니까 40여 년 전의 기억이 잊히지 않고 잔상이 남아있는 것이다. 그 덕분에 기억이 꿈이라는 형태로 나타난다. 그 꿈을 꾼 다음 날은 기분이 이유 없이 좋고 몸도 가뿐하다. 감동적인 영화나 음악회를 보고 난 후, 1시간가량 느끼는 삶의 전율이랄까? 무엇이 그때의 일을 잊지 못하게 하는 것일까. 진정으로 그들을 사랑했었던 것일까. 그냥 잠시 스쳐지나간 인연으로 치부하면서 아무렇지도 않게 생각할 수도 있었을 텐데, 수시로 그 일이 꿈에 떠오른다.

학교가 파한 후, 저녁까지 친구들과 학급신문을 만든답시고 우리는 함께 어울렸다. 남학생, 여학생 몇이 같이 이런저런 이야기를 나누며 복도를 지나서 운동장, 교문에 이르렀다. 그렇게 마음껏 아무 생각 없이 웃어본 적이 있을까? 우리는 다정하게 어깨동무하며 이야기를 나누었다. 그리고 학교 앞 철길 옆 작은 떡볶이집으로 들어갔다. 깔깔대며 크게 웃고 떠들고 장난치고,

그리고 식당을 나와 큰길에서 각자 집으로 뿔뿔이 헤어지곤 했다. 그때 어떤 여학생이 말해 주었다.

"동우 추워서 집에 어떻게 가지?"

"괜찮아, 갈 수 있어."

나만의 생각일까? 그때의 그 여학생의 걱정 어린 이야기는 꿈속에서도 내 마음을 들뜨게 한다. 당연히 그 여학생은 기억하지 못할 것이다. 나만의 초라한 감정일지도 모른다. 하지만 그때의 그 나지막한 음성은 어떤 누구의 달콤한 말보다도 더 정겹고 따스하게 느껴진다. 그리고 그때 느꼈던 감정은 꿈속에서 초콜릿처럼 부드럽고 달콤하게 내 마음을 어루만졌다.

기억이란 그런 것이다. 40여 년 전 단 몇 초의 순간이 머릿속에 나도 모르게 떠오르는 그런 것이다. 그것이 기억이자 추억이다.

세월이 많이 흘렀다. 꼭 한번은 만나고 싶었다. 그것도 그 여학생이 옛날의 모습 그대로이고 또 나에 대한 살가운 감정도 그때의 순수함을 그대로 간직한 채로.

내면화된 기억은 무의식중에 꿈이라는 다른 형태의 의식의 작용으로 표현된다. 아마도 그 장면이 가슴 가장 깊은 언저리에 자리 잡고 있었을 것이다. 그렇게 곤히 잠을 잤다. 아마 내 얼굴에는 어린 시절의 순수한 미소가 지어져 있었을 것이다.

〒

토요일 늦은 오전, 주말에만 서울의 집에서 머문다. 연우와 함께하는 것도 이 시간이다.

연우가 방에 들어와 날 흔들어 깨웠다.

"아빠, 아침 드셔야지요"

연우는 유일한 자식이자 딸이다. 아내를 잃고 혼자 연우를 키워냈다. 초등학생 때 엄마를 잃은 아이의 마음은 어떨까?

학부모회나 운동회, 학부모 상담처럼 엄마가 주로 가는 행사에 내가 참석했다. 하지만 너무 바쁠 때는 가지 못할 때도 많았다. 한부모 가정이라는 낙인 아닌 낙인 사이에서 10살 남짓의 어린 여자아이는 어떤 감정을 지녔을까?

채워줄 수 없는 엄마의 빈자리가 행여나 연우의 성장 과정에서 나쁜 영향을 주지나 않을까 노심초사한

적이 많았다. 괜찮다고는 말해 주긴 하지만 아빠인 내가 아무리 노력해도 엄마라는 존재의 빈자리를 모두 채워줄 수 없었을 것이다.

연우는 공부를 곧잘 했다. 서울에 있는 사립대에서 식품공학을 전공하는 대학생이다.

식품에 관련된 공부를 해서인지는 몰라도 음식 만드는 것을 좋아했다. 초등학교 때 혼자 거실에서 엎드려 아무 말 없이 그림을 그리던 모습이 떠올랐다. 그런 연우를 멍하니 쳐다보면 마음이 너무 쓰라렸다.

'연우의 마음은 어떨까?'하는 생각이 들었다. 그 어린 나이에도 엄마가 보고 싶다는 이야기를 나에게 한 번도 한 적이 없었던 속 깊은 아이였다.

우연히 본 연우의 초등학교 일기장, 엄마에 대한 그리움이 가득 담겨 있었다. 엄마가 해 주시는 따뜻한 밥과 정성 들여 만든 밑반찬을 맛있게 먹고 싶다는 이야기며, 엄마는 하늘나라에서 잘 지내고 있을지 궁금하다는 이야기, 그리고 어버이날 쓴 '하늘나라에 있는 엄마에게'라는 연우의 편지글에 나 혼자 하염없이 눈물을 흘렸었다.

다행이라고 해야 할까? 연우는 큰 문제 없이 중고등

학교를 잘 마쳤다. 성장기에 마주한 애정결핍이 가져올 수 있는 부작용은 거의 없었다. 아마 마음속 깊은 곳에 상처를 감추고 있었겠지.

"연우야, 김치찌개 참 맛있네?"

연우의 표정이 금방 밝아졌다. 입고 있는 꽃무늬 주방용 앞치마가 그럴듯하게 어울렸다.

"아빠, 정말이야? 신경 좀 썼는데 다행이네."

"아빠는 연우가 해 주는 밥이 이 세상에서 제일 맛있더라."

연우는 순간, 대답했다.

"엄마가 나보다 훨씬 맛있게 했을 텐데."

"……"

잠시 침묵이 흘렀다. 우리는 서로 어색하면서도 짧은 시간의 멈춤을 함께 느꼈다. 그 순간 문득 이런 생각이 들었다.

'아직은 엄마의 추억을 서로 나누기에는 우리 둘 다 상처가 남아있구나'

연우는 얼굴을 돌린 채 울먹이는 것처럼 보였다.

"연우야 다음 주에 엄마한테 가 볼까?"

"그래요. 아빠, 같이 엄마한테 가요."

나는 황급히 다른 화제로 말을 돌렸다.

"대학 공부는 괜찮니?"

"그냥, 재미있어요. 친구들도 많이 알게 됐고 고등학교와 다르게 제가 공부하고 싶은 것만 열심히 하면 되니까요."

"그래도 공부만 하지는 말고 동아리 활동이나 아르바이트도 짬짬이 해봐라~ 그런 게 다 나중에 사회생활에 도움이 될 테니"

"네, 알겠어요. 카페 아르바이트 지금 하고 있어요. 그렇게 힘들지는 않아요"

"다른 어려움은 없어? 아빠 없을 때 밥은 거르지 않지?"

"네, 그냥 잘 챙겨 먹고 있어요. 걱정하지 마세요. 그리고 내년에 편입학 시험 준비하려 해요"

"편입?" 되물었다. 재수까지 해서 간 대학교가 성에 차지 않은 모양이다.

"네, 학과는 그냥 할만한 데 편입을 한번 준비해 볼까 해요, 취업률도 그렇고, 지금보다는 조금 더 나은 학교로 가 보는 것도 좋을 거 같아서요."

"그래, 만만치는 않을 텐데, 그래도 도전은 해 보는 게 좋지."

나도 대학 시험을 세 번 도전했기에 연우의 마음을 잘 이해할 수 있었다. 인생은 길다. 20대 초반 2~3년은 아무것도 아니고 충분히 도전, 투자할 가치가 있는 시간이라고 말해 주었다.

연우는 내 말을 단 한 번도 거슬린 적이 없다. 아빠의 걱정 아닌 걱정들이 잔소리로 들릴 만도 할 텐데 사춘기 때에도 내 말을 토를 달거나 다른 아이들처럼 반항한 적도 없다.

오히려 그렇게 자라는 연우가 걱정되기도 했다. 사춘기 때 부모와 적당히 싸우고 적당히 화해하고 하는 것이 정상적인 성장 과정이라 생각했는데 연우는 그런 것들을 겪지 않고 말없이 자신이 해야 할 일이 무엇인지 알고 그 일에만 집중했기 때문이다.

연우는 지금, 내 유일한 유전자를 가진 단 한 명이다. 이 세상에서 내가 없어져도 나의 유전자와 동일한 그것을 가진 단 한 사람. 그게 바로 이 아이다.

연우는 나의 얼굴을 빼다 박았다. 지나가는 사람이 보아도 내 딸인 것을 금방 알 수 있을 만큼. 연우는 태어날 때 탯줄을 자기 몸에 X자로 걸고 있었다. 급히 제왕절개로 수습하며 큰 이상 없이 태어났다. 그래서인지 아내도, 나도 연우에 대한 애착이 강했다. 아내가 죽은 지 얼마 되지 않아 연우는 나에게 묻곤 했다.

“아빠, 그런데 엄마는 어디에 갔어?”

어렸을 때는 외국에 공부하러 갔다며 이야기했고 곧 돌아올 것이라고 말해 주었다.

조금 더 성장한 연우에게는

“엄마는 하늘나라에 갔어.”라는 낭만적이지만 슬픈 이야기를 해 줄 수밖에 없었다. 하지만 연우는 이내 엄마가 다시는 돌아오지 않을 것이라는 사실을 깨달았다. 아니 어쩌면 처음부터 엄마가 돌아오지 못한다는 것을 알고 있었을지도 모른다.

아버지, 그러니까 연우의 할아버지께서 중환자실에 계실 때. 연우를 데리고 함께 방문한 적이 있다. 얼마 남지 않은 시간을 힘겹게 견디고 계시던 아버지는 연우를 보자 환한 웃음을 지셨다. 연우가 6살 때였다. 아버지는 연우에게 손을 내밀었다.

“할아버지, 사랑해요!”

너무 어릴 때라 병원의 여러 의료장치나 할아버지의

모습이 무서웠을 텐데 연우는 한 치의 망설임 없이 할아버지에게 다가가 손을 꼭 잡고 말했다. 아버지께서는 그토록 사랑하던 손녀의 손을 마지막으로 따듯하게 잡아주셨다. 그것이 핏줄이고 자식이라는 생각이 들었다. 어떠한 것으로도 끊을 수 없는 것이 천륜이다.

ㅜ

아버지는 간암으로 세상을 떠나셨다. 젊은 시절부터 B형 간염이 있으셨다. B형 간염은 유전병의 일종이라고 알고 있다. 그런데 아버지는 우리 형제에게 그 병을 물려주지 않으셨다.

돌아가시기 2년 정도 전부터는 거의 매일 힘들어하셨고 집 밖으로 한 발자국 나가기도 버거우셨다. 일주일에 한 번 아버지를 뵈러 본가에 갔었다. 어느 날 우연히 보게 된 아버지의 배는 마치 풍선처럼 부풀어 있었고 그 속에 물이 차 있어서 손으로 건드리면 출렁였다. "아버지, 배가 왜 이래요?"

"그거 병원 가면 금방 없어져. 걱정하지 마."

나중에 알게 되었지만, 간암으로 인한 복수가 배에

찬 것이었다. 그때만 해도 그런 사실을 몰랐고, 괜찮다고 아무렇지 않게 말씀하시는 아버지, 어머니만 믿고 심각하게 생각하지 못했다. 아버지, 어머니는 병원에 가셔서 간 색전술을 받거나 복수를 빼는 진료를 받아도 나에게 알리지 않으셨다. 전혀 알지 못했다.

하지만 아버지의 증상은 날로 심해지셨다. 학교에 휴직을 신청하고 아버지께서 입원하신 대학병원에서 몇 달 동안 간호했다.

새벽 5시면 입원실의 불이 켜진다. 6인실인지라 불이 켜지면 환자와 가족들이 모두 잠에서 깰 수밖에 없었다. 아버지를 부축해서 간신히 체중을 측정하고 간호사들은 혈당과 혈압을 잰다. 그렇게 조금만 지나면 7시에 아침 식사가 들어온다. 그렇게 매일 5시면 시작되는 것이 병원의 일상화된 스케줄이다.

나에게 가장 무서운 시간은 아침 8시였다. 8시면 의사들이 회진(回診)이라 하여 각 병실을 돌며 환자의 상태를 진단한다. 그 시간에 아버지의 건강 상태에 대한 이야기를 담당 의사에게 듣게 된다. 인턴인지 레지던트인지 모를 의사들을 대동해서 담당 의사가 찾아오는 그 시간이면 두려워진다. 아버지는 또 얼마나 가슴

졸이셨을까. 어떤 날은 일부러 그 시간에 화장실을 가서 피한 날도 있었다. 그만큼 아버지께서 악화되셨다는 말이 듣기 힘들었다. 도망이라도 가고 싶었다. 그렇게 거의 4개월여를 아버지와 함께 지냈다.

내 도움 없이는 화장실은커녕 세수조차도 힘든 아버지의 모습은 정말 견디기 어려울 만큼 보기 힘들었다.

월남전에 참전하셨을 만큼 건강하시던 아버지, 그렇게 우리에게 당당하시던 아버지, 그렇게 우리가 의지하던 그 아버지께서 지금은 혼자 거동도 못 하신다는 사실이 정말 마음 아팠다.

아버지는 병상에 누워서 천정을 응시한 채 나에게 힘없는 목소리를 겨우 말씀하셨다.

"연우는 유치원 갔나?"

"며느리는 잘들 있냐?"

"엄마는 집에 그냥 있으라고 전화해라, 여기 오면 힘들다."

온통 자신을 제외한 가족들의 안부와 걱정뿐이셨다. 정작 가장 힘드신 건 본인이신데 스스로 아프다는 말씀은 단 한 번도 하지 않으셨다.

"아버지, 다들 괜찮아요. 걱정하지 마세요."

어릴 적 이야기나 아버지 친지분들, 친구분들 이야기를 일부러 계속했다. 아버지께서 아픔을 덜 느끼시도록 그렇게라도 노력한 것이었다. 아버지께서는 내 얘기에 희미하게 웃음을 짓곤 하셨다.

병원 1층에서 엘리베이터를 타고 11층에 올라가서 엘리베이터를 나오면 바로 오른편 복도에 아버지 병실이 있었다. 습관처럼 그렇게 엘리베이터를 타고 아버지께 다가갔다. 그리고 항상 이렇게 말했다. 아버지께서 떠나시기 전까지 계속 ….

"아버지, 저 왔어요! 점심은 잘 드셨어요?"

학교 휴직 기간이 끝나고서는 퇴근하자마자 바로 지하철을 타고 병원으로 향했다. 피곤함도 잊은 채 한 시간가량 걸리는 병원까지 갔다가 밤 11시가 되어서야 집에 돌아와 간신히 잠을 청했다.

지하철 안에서 혼자 상념에 젖곤 했다.

'이 길을 언제까지 다닐 수 있을까?'

그런데, 절대 아버지께서 돌아가실 것이라는 생각은 들지 않았다. 아니, 하지 못했다. 두 눈으로 직접 확인하지 않는 한, 이 세상의 모든 자식은 자기의 부모가 돌아가실 것이라는 사실을 인정하지 않는다. 나도 예외는 아니었다. 어느 날 동생과 아버지 장지(葬地)에 관한 이야기를 나누었다.

"그런데, 형. 아버지 나중에 어디에 모셔야 하지?"

"경기도 쪽에 모셔야지. 일산이나 분당 쪽에 추모 공원이 많이 있긴 하던데."

"국립묘지는 꽉 차서 못 들어간다는 말이 있던데?"

"국립묘지 만약 못 들어가면 경기도 쪽에 모셔야지 않을까? 국립묘지에 미리 말해 두어야 하나?"

"……"

순간, 우리 둘 사이에 침묵이 흘렀다. 무언가 어색하면서도 이상한 느낌이 들었다.

'우리가 지금 무슨 이야기를 하는 거지?'

'아버지 돌아가시기를 기다리는 건가?'

그 이후로 우리는 같은 이야기를 나누지 않았다. 사실 장지를 미리 봐두는 것이 좋기는 하다. 그렇지만 쉬운 일이 아니다. 자식들이 부모의 장지를 미리 논의하는 일은 부모의 연명치료 중단을 동의하는 것과 유사하게 힘든 일이다. 아버지 곁에 있는 동안 틈틈이 기록을 남겼다. 일기 형식으로.

새벽이 밝아오면 아버지가 상태가 어떠실까부터 생각한다.

갑자기 열이 나셔서 입원한 지 벌써 2주가 지났다. 올해는 거의 모두를 이 병원에서 보냈다. 처음 병원에 입원하실 때만 해도 빨리 퇴원해서 나가셔야지 하는 마음이 들었었다. 그런데 이제는 그런 마음을 포기했다.

병원이 아닌 집에 있는 것이 오히려 더 불안하고 힘들기 때문이다. 병원 생활이 육체적으로 힘들기는 하지만 아버지가 항상 보호받고 있다는 생각에 마음은 조금 편하다.

한 가지 마음에 걸리는 것은 어머니께서 쉬셔야 하는데 그러질 못하는 것이다. 다행히 동생이 휴가를 가끔 낼 수 있어서 일주일에 4일 정도는 동생과 내가 번갈아 병원을 지킬 수 있다.

이젠 병원이 우리 집 같은 느낌이 든다. 그냥 우리 집에서 부모님을 뵙고 동생과 함께 이야기 나누고 밥을 먹고 있는 느낌이다. 옆 침대에도 아버지보다 더 건강이 안 좋으신 환자들이 부지기수이다. 그 가족들과도 이젠 친해져서 편하다. 어떤 보호자께서 나에게 말씀해 주셨다.

"절대 희망을 놓지 마세요. 희망을 놓는 순간 아버지께서는 회복하시기 어렵게 됩니다."

"혹시 위험하실 경우에 병원에서 심폐소생술을 할 것인지

물어보실 겁니다. 절대 하지 마세요. 아무 소용 없어요. 아버님의 갈비뼈와 가슴부위만 난장판이 됩니다. 더 힘만 들어요 아무 필요 없는 일이예요."

나중에 알게 되었지만, 그 사람은 이미 아버지의 죽임이 얼마 남지 않았다는 것을 알고 있었던 것 같다. 자신의 어머니를 얼마 전에 하늘나라로 보내드린 경험이 있었다고 나에게 이야기해 주었다. 물론, 난 그때 그 말을 귀담아듣지도 않고 아버지께서 안 좋아지실 것은 상상조차 하지 않았다.

오늘은 어머니께서도 아버지와 같은 병원에 입원하셨다. C형 간염 판정을 받고, 이 병원에 정밀진단을 하러 왔더니 입원을 권유했다. 아버지의 병실 바로 옆의 병실에 어머니께서도 입원하셨다. 어머니는 입원이 거의 처음이라 무서우신가 보다. 어머니의 야윈 몸을 덮고 있는 환자복이 헐렁했다. 왜소한 체격 때문인지 더 애처로워 보인다. 나중에 어머니께서도 아프시면 저 모습을 또 보아야 한다. 걱정에 눈물이 핑 돈다.

두 분이 같은 환자복을 입고 계신다. 이상하다. 더 보기가 안쓰럽다. 동생은 아버지 곁을 지키고 나는 어머니 곁에서 쪼그려 잠을 잤다. 어머니께서는 간에 있는 세포를 채취하셨기 때문에 절대 일어서면 안 된다고 한다. 내가 곁에서 계속 돌봐야 한다. 내일 아침에는 이 병원에서 바로 서울로 출근을 해야겠다. 그런데 내일은 동생도 없고 나도 없다. 두 분이 어떻게 계실지 걱정이다.

또 하나, 저렇게 두 분이 함께 계시는 시간이 얼마나 남아 있는 것일까. 그리고 난 저 두 분이 함께 계시는 모습을 볼 수 있는 시간이 얼마나 남아있을까.

ㅜ

그렇게 지내야 한다. 별다른 방법도 없다. 퇴근해서 병원에 가면 어제와 같은 병실과 같은 침대에 아버지가 누워 계시다는 희망은 나에게 많은 위안이 되었다.

그나마 폐 쪽으로 번진 암이 작아졌다는 의사의 진단에 희망을 가져 본다. 항암제를 꾸준히 복용하셔서인지 그 말은 우리 가족에게 자그만 희망을 던져준다. 조금은 더 살 수 있다는 기대와 함께 아버지의 모습을 더 오래 볼 수 있다는 기쁨, 그런 것들일 것이다.

어제는 카메라를 가져가 아버지의 증명사진을 찍었다. 사진관까지 갈 기운은 없으시고 사진이 필요하기 때문에 어쩔 수 없이 내가 찍은 것이다. 오랜만에 찍은 아버지의 사진을 물끄러미 쳐다본다. 아버지가 그 속에 계시다. 그리고 내 마음속에도 영원히 저렇게 남아 자리하고 계실 것이다.

초등학교 6학년 때의 일이다. 직업군인 이셨던 아버지 때문에 경기도 북부지역에서 학교를 다니고 있었다. 새벽에 집에서 출발해 1시간가량을 걸어야 등교 시간에 겨우 맞출 수 있을 정도로 학교는 멀었다.

아버지는 다음 해 서울로 전출 예정이셨다. 나는 서울의 중학교 배정을 받기 위해 미리 서울의 친척 집에 머무르며 서울의 초등학교에 다녀야 했다. 당시 서울 시내의 중학교 배정을 받기 위해서는 6학년 2학기에 서울의 초등학교에 소속이 되어 있어야 했다. 난 서울의 한 친척 집에 혼자 맡겨졌다.

아무리 가까운 친척 집이라고 해도 자기 집에서 부모님의 보살핌을 받는 것에 비할 수 없다. 어린 나이에 그 외로움과 서글픔을 감당하기에는 너무 힘겨웠다. 하루하루를 부모님과 동생 생각으로 지내던 것이 아직도 선하게 기억난다. 친구들과 어울려 지내던 낮 동안은 모르고 지내다가 밤이 되어 잠자리에 들면 문득 부모님과 동생의 얼굴이 떠오르며 나도 모르게 눈물이 흐르곤 했었다.

'엄마, 아빠 보고 싶어.' 소리도 내지 못하고 혼자 울먹이며 부모님을 찾았다. 마치 어미 개에서 한 달도 안 되어 억지로 떨어져 우리 집에 데리고 왔었던 조그만 강아지가 밤마다 슬프게 울부짖는 것처럼.

그러던 어느 날이었다. 내가 막 잠자리에 들었을 무렵, 아버지께서 갑자기 오셨다. 서울에 일이 있어 지프차를 타고 왔다가 그곳으로 찾아오게 되셨다. 아버지가 거실에 들어오시고 친지분들과 이런저런 이야기를 나누는 것이 들렸다. 아버지는 내가 자는 방으로 들어오셔서 나를 가만히 안아서 들어 올리시는 것이 느껴졌다. 하지만 눈을 뜨지 못했다. 창피해서인지 모르겠지만 자는 척을 했다. 지금 생각해 보면 참으로 어처구니없는 일이다. 왜 그토록 보고 싶던 아버지께서 오셨는데 눈도 뜨지 못하고 아버지에게 매달리지도 못했을까? 내가 내성적이고 소극적인 성격을 가졌다는 것은 잘 알고 있다. 그렇지만 아버지에게도 반갑게 대하지 못할 정도였을까?

어른이 되어서야 그 이유를 알 것 같았다. 눈뜨기가 두려웠다. 아버지를 보면 눈물이 터져버릴지도 모른다는 생각이 나를 자는 척하도록 만들었을 것이다. 그만큼 아버지가 그리웠다.

30년이 넘게 지난 지금, 난 한 아이의 아버지가 되어 있다. 내 아이의 잠든 얼굴을 가까이 들여다볼 때가 있다. 30여 년 전 아버지가 나의 자는 모습을 바라보시면서 바로 이런 느낌을 가졌을 것이라는 생각이 들었다. 사뭇 아버지에 대한 진한 그리움이 느껴진다.

아버지를 오늘 내 가슴에 묻었다. 11월 3일 새벽 4시 40분. 이제 이 세상에 아버지가 없는 자식이 되어버렸다. 아버지 곁에서 아버지를 내 가슴에 묻을 수 있었다.

전날 밤늦게 동생에게 걸려 온 전화에 마음을 진정시키고 병원에 도착했을 때만 해도 그다지 위급해 보이지는 않았다.

이미 아버지의 침대는 별도의 격리된 공간으로 이동되어 있었다. 동생은 냉철하다.

"아버지, 오늘 밤만 잘 보내면 괜찮을 거예요. 그냥 편히 쉬고 계세요." 그러고는 아버지 옆에서 책을 읽고 있었다.

순간, 정신이 들었다. 내가 진정하고 마음을 다잡아야 한다고 마음먹었다.

"그래, 아버지 여기 좀 계시다 아침에 다시 병실로 가시면 된대요. 어머니 저쪽 병실에서 주무시니까 걱정마세요."

하지만 조금씩 시간이 지날수록 아버지께서는 의식이 희미해지셨고 새벽에 이르러서는 더 이상 숨을 쉬지 않으셨다. 의료기기에서는 영화나 드라마에서만 보던 일직선이 깜박이며 더 이상 물결을 일으키지 않았다.

아버지는 가쁜 숨을 몰아쉬시면서 힘겹게 내 이름을 부르셨다. 그 외에는 다른 아무 말씀도 못 하셨다. 아버지께 무언가를 이야기했지만, 아버지께서는 끝내 대답을 하지 못하셨다.

잠시 후 의사가 와서 사망 선고를 했다.

아버지의 사망 선고를 들을 때의 마음은 말로써는 표현이 불가능했다. 그렇게 3일을 동생과 정신없이 아버지를 편히 보내기 위해 시간을 함께했다.

그래도 올해까지는 잘 버티실 수 있을 것라 생각했지만, 암으로 고통스러워하는 모습을 볼 때면, 저렇게 힘들어하시는데 내 욕심으로 더 시간을 끄는 것이 무슨 의미가 있을까?

라는 생각도 없지 않았다. 그렇게 그날, 그 시간, 그 장소에서 아버지를 내 가슴에 묻었다.

아버지의 얼굴을 어루만졌다. 그리고 내 볼을 아버지 얼굴에 부볐다.

"아버지, 잘 가세요. 이젠 그렇게 힘든 고통도 없고, 그렇게 매일 많은 약을 드시지 않아도 되고, 그 많은 주사를 맞지 않으셔도 돼요. 그냥 편안하게 계세요."

아버지 귀에 대고 이렇게 말씀드렸다. 후회가 된다. 아버지에게 하지 못한 일들이 너무나 후회가 된다. 아버지와 조용히 서로의 마음을 이야기해 본 적도 없어 또 후회가 된다. 아버지에게 진심으로 사랑한다는 말씀을 드리지 못했다. 아버지에 대한 나의 진심을 이야기하지 못했다. 이제야 그렇게 이야기를 해 드렸다.

이후, 아버지에 대하여 이런 글을 남겼다.

무더운 8월의 어느 여름날. 우연히 아버지의 지갑을 보게 되었다. 형편없이 닳은 얇디얇은 지갑이 무척이나 초라해 보였다. 세탁기를 돌리면서 지갑이 든 채로 아버지의 바지를 빨았나 보다. 햇볕에 말리려고 지갑에 든 물건들을 꺼내 놓았다. 천 원짜리 지폐 몇 장과 운전면허증, 국가유공자증, 병원 진료 카드가 전부였다. 아버지의 지갑에서 나온 것들은

아버지의 지난 세월 혹은 지금의 모습이었다.

어려운 집안 형편 때문에 학업을 접고 군을 선택했던 아버지는 나를 임신한 어머니를 두고 월남전에 참전했으며, 그 후로도 십 수년간 군에 몸을 바치셨다. 군을 제대하고 접하게 된 사회는 아버지의 생각과는 너무나 달랐다. 벌이는 사업마다 실패를 거듭하셨고, 퇴직금뿐 아니라 가지고 있던 집도 남에게 넘겨주고 형제들에게 손을 벌려야 하는 힘든 시간을 보내셨다.

결국 예순이 넘은 아버지에게 남은 것은 당뇨병과 간질환 등의 갖가지 질병이었다. 아버지의 지갑에서 나온 물건들을 보고 가슴이 시큰해지지 않을 수 없었다. 아버지는 왜 이토록 힘든 인생을 살았을까.

집에 들를 때마다 서해로 뉘엿뉘엿 넘어가는 해를 보며 아버지의 인생에 대해 생각하곤 한다. 어렸을 때는 아버지의 모습이 이해가 안 될 때도 많았다. 하지만 지금은 아버지의 삶 곳곳에 우리 자식들의 모습이 크게 자리하고 있었음을 깨닫는다. 수많은 어려움 속에서도 우리가 서로 사랑하고 힘이 되어 줄 수 있었던 것은 아무리 힘들어도 가족이 흩어져서는 안 된다는 생각 덕분이었다. 아버지는 나와 동생들이 잘 자라 준 것을 가장 훌륭한 재산으로 생각하신다.

8월의 뜨거운 햇볕에 아버지의 지갑이 사르르 마르듯이 아버지의 인생도 이젠 따사로운 햇살 아래 있길 바란다.

아버지는 연우를 진심으로 사랑하셨다. 병상에서도 연우가 유치원에 갔는지 또는 무엇을 하는지 궁금해하셨다. 그럴 때마다 아버지는 옅은 미소를 띠셨다. 암 투병의 고통 속에서도 잠시나마 손녀의 모습을 떠올리며 힘든 고통을 잊으시는 듯했다.

연우와는 많은 대화를 하지 않는다. 주말, 집에서 가끔 이야기를 나눌 뿐이다. 다른 가족들처럼 부모와 사춘기 아이 사이에 있는 일상적인 다툼도 거의 없었다. 그냥 조용히 자기 할 일만 할 뿐이다. 그런 연우가 측은할 때가 많았다.

6살 때 집 앞 슈퍼마켓 앞에서 내가 무릎을 꿇다시피 하고 연우와 손을 잡고 대화하는 것을 본 어떤 아주머니가 빙긋 웃던 장면이 기억났다.

연우는 아빠를 잘 따랐다. 조금씩 말을 하기 시작할 때도 습관처럼 항상 "아빠, 나 이거 해도 돼?"라는 말로 허락받고 싶어 했다. 자기의 생각이 맞는지 아빠인 나로부터 재차 검증받고자 하는 마음이었을 것이다. 그것은 연우가 성인이 되어서도 계속되었다.

지금도 가끔 전화로 무언가를 해도 되느냐는 질문을

해 오곤 한다. 난 연우의 더듬이인 동시에 자기 생각을 허락받는 최종 확인자의 역할을 함께 수행하는 존재일 것이다. 그런데 단 하나, 마음에 걸린다. 연우는 내가 이 세상에 없을 때 어떻게 자신의 판단을 결정할까?

엄마라는 한쪽 더듬이가 사라진 이후 나머지 한쪽 더듬이에 온 신경이 가 있을 것이다. 이제 자신을 지킬 더듬이는 이 세상에 아빠밖에 없다. 연우의 습관이 계속될 수밖에 없는 이유일 것이다.

연우가 아내의 배 속에 있을 때부터 연우에게 편지를 썼다. 거의 초등학교를 졸업할 무렵까지. 언젠가 연우가 어른이 되면 이 편지를 읽을 것이라는 상상을 하면서.

"사랑하는 연우야, 네가 행복했으면 좋겠어."

라는 말이 모든 편지의 결말이다. 연우도 내가 아닌 자신의 마음을 요동치게 하고 매일 함께 시간을 보내고 싶은 사람을 만날 것이다. 애써 밀어내지 말고 제대로 겪으면서 상처 입고 그 상처를 꿰매면서 다시 일어서고를 반복할 것이다. 이제 연우를 소유할 생각도, 의지할 생각도 버려야 한다.

ㅜ

아내는 대학 시절 같은 동아리에서 만났다. 빨간 티셔츠에 하얀색 바지가 잘 어울리는 평범하지만 특별한 사람이었다. 교양 과목의 스터디를 우연히 함께하게 되었다. 그리고 일주일에 한 번씩 만나서 영어 원서를 공부했다. 아내는 명석하고 현명했다.

학내 분규에도 적극적으로 참여하여 수업 거부나 집회를 주도하기도 하는 이른바 집행부였다. 학내 사태 때에도 수업을 빠지지 않고 출석하는 나와는 대척점에서 있었다. 하지만 아내에게 이성으로서의 특별한 관심이 없었던 터라 우리 둘 다 서로의 생각을 존중해 주는 딱, 그 정도의 사이일 뿐이었다. 당연했다. 원래 나와 관계없는 사람이 하는 일에 대해서는 유독 무심했다. 아니 관심이 전혀 없었다.

공부하는 걸 좋아한다는 공통점을 제외하고는 비슷한 면이 거의 없었다. 나중에는 둘 다 평범한 고등학교 교사가 되었다.

아내는 손이 작고 키가 큰 학생이었다. 문학 동아리에서 활동을 함께 해 친한 편이었다. 아내는 성격이 유순하고 침착했다. 주로 한국 단편소설에 관심이 많았고 나는 영미문학과 동양철학에 빠져있곤 했다.

아내와는 주로 소설이나 수필에 관해 이야기하며 시간을 보냈다. 학교 뒤 낮은 언덕의 벤치에서 6시간을 하나의 소설에 관해 이야기를 나눈 적도 있었다.

아내는 흑백사진 같은 사람이었다. 자세히 보아야 보였다. 지금은 그 모습조차 흐릿하다. 생각해 보면 지금의 그 흐릿한 모습이 아내의 원래 모습과 같다. 흑백사진, 얼핏 보면 안 보이지만 자세히 부분 부분을 살펴보면 조각조각마다 새로운 모습이 선명하게 보인다.

아내의 모습은 그랬다. 또래들 특유의 밝고 유쾌한 모습이라기보다는 자세히 보아야만 보이는 것이 많아지고 서서히 알게 되는 '숨은그림찾기' 속의 그림 같은 사람이었다.

분노는 연민의 씨앗이 된다. 그동안 나를 괴롭혔던 분노는 사랑이 싹트는 텃밭이 되고 아픈 기억은 새로운 연민의 자양분이 되었다. 슬픔은 이름 모를 아름다운 휴양지의 멋진 배경이 된다. 그렇게 그 사람은 나를 괴롭히던 것을 순식간에 아름다운 그 무언가들로 바꾸어버렸다. 사랑할 때의 공기 내음이 아직도 느껴진다.

꽃이 보인다. 한 번도 바라보지 않았던 꽃이 그 색깔이 보이고 그 향기가 물씬 느껴진다. 길을 걷다 바라본 하늘은 지금까지의 우울한 회색이 아니라 맑은 쪽빛의 그것이라는 걸 처음 알게 되었다.

아내는 교통사고로 죽었다. 난 살았다. 친구 아버지의 장례식장에 가던 날, 함께 차를 타고 가다 사고가 났다. 난 살고, 아내는 사고 후 4일이 지난 후, 나와 연우 곁을 아무 소리 없이 떠나버렸다. 그리고 난 왼쪽 다리를 잃었다. 지팡이에 의지하지 않고서는 쉽게 걷기 어렵다.

아내를 보내고 한 달여를 술에 절어 살았다. 난 술을 먹을 줄 모른다. 하지만 그때는 술을 많이 먹었다. 그냥 먹었다. 물을 마시듯이 그냥 목구멍으로 술을 욱여넣었다. 하지만 그런다고 해서 죽은 아내가 다시 살아 돌아올 리 없다. 그냥 먹었다. 그래야 생각이 나질 않기 때문이다. 기억을 지워야 했다. 그때부터 기억을 지우는 연습을 했을지 모른다.

외상후 스트레스 장애는 지금까지도 날 괴롭힌다.

아내의 죽음이 내 책임이라는 자책감에 헤어나질 못

한다. 10여 년은 아내에 대한 자책감을 잊기에는 너무 짧은 세월이다. 그 자책감은 우울증이라는 선물 아닌 선물을 남겨 주었으며 그 우울증은 알츠하이머라는 새로운 고통을 나에게 보란 듯이 선사했다.

제 3화

목련꽃은 슬프다

아내와의 있었던 일을 기억해 보았다.

내가 쓴 하루하루의 기록을 통해서이다. 같은 고등학교에서 근무하면서 가까워졌던 우리다. 우리는 차곡차곡 감정의 두께를 높여가고 있었다.

소위 '착한 아이 콤플렉스'에 빠져있었다. 자아정체성과 자존감이 특히 낮은 사람이 빠지게 되는 이 콤플

렉스가 나에게 있다고 생각했다. 책을 읽다 알게 된 사실이다. 왜냐하면, 함께 하던 일을 끝까지 처리하지 않으면 마음이 불편하다 못해 잠을 이루지 못할 정도였기 때문이다.

"왜 선생님께서 이런 일까지 하세요?"

"괜찮아요, 이것까지만 정리하고 퇴근할게요. 먼저 들어가세요."

내가 많이 듣고, 나누었던 대화들이다. 때로는 하지 않아도 될 허드렛일까지 해야 마음이 편했다. 주위에서는 왜 그런 일까지 하냐고 핀잔 아닌 핀잔을 주거나 성실하고 책임감이 강하다는 긍정적인 피드백을 주기도 했다. 어쨌든 난 그렇다. 문제는 내가 자존감이 낮다는 것이다. 그렇게 사회생활, 학교생활을 하고 있었다. 아내는 자신에 관한 호의나 도움을 나의 이런 성향으로만 받아들였을 것이다.

사랑은 늘 우연처럼, 또는 우연을 가장한 채 시작된다. 평소라면 가지 않았을 길을 갑자기 가게 되었을 때, 그날따라 왠지 모르게 늦게 집에 들어가고 싶었을 때, 사랑은 아무도 모르게 조용히 내 앞에 다가와 나를 기다리고 있었다. 마치 이미 다 정해져 있었다는 듯이 운명처럼 어딘가에 숨어있다가 어느 순간 약속한 것처럼 서로에게 스며들어 없어서는 안 될 사이가 되어버린다. 사랑은 한 발을 내딛는다거나, 아무 생각 없이 뒤를 돌아다 보는 사소한 우연으로 평생을 함께 할 사람을 소리 없이 내 곁으로 데려다주기도 한다. 아내도 그렇게 우연을 가장한 필연과 인연으로 나에게 다가왔다.

제법 큰 학교행사가 끝나고 이루어진 직원회식 자리에서 어느 순간 아내가 눈에 들어왔다. 다른 교과목을 맡을 때라 서로가 만날 일이 많이 있지는 않았다. 같은 업무를 하면서 아내와 몇 차례 협의를 나눈 적은 있고 아내의 일을 도와주었던 일도 여러 번 있었다.

우연히 옆자리에 앉아 잠시 이야기를 몇 번 나누었으나 분위기는 항상 어색했다. 숫기가 없어 아무나 와는 이야기를 잘 나누지 못했다. 하지만 아내는 달랐다. 쾌활한 정도는 아니지만, 적당히 분위기를 맞춰줄 수 있는 사람이었다. 게다가 내가 좋아하는 문학을 가르치는 것도 마음에 들었다.

"안녕하세요? 선배,"

아내는 작은 앞접시에 내가 좋아하는 매콤한 찌개의

국물과 여러 종류의 건더기를 듬뿍 담아 내 앞에 살며시 놓아주었다.

“많이 드세요, 일 많으시지요? 힘드시지는 않으세요?”

꿈에서 보았던 어린 시절, 초등학교 시절 여학생의 걱정 어린 말 한마디와 비슷하다고 생각했다.

“잘 지내지? 다른 과에 있으니까 얼굴 한번 보기도 힘드네.”

억지 인사치레로 어색함을 숨겼다.

“어제 택배 온 물건 교무실로 옮겨줘서 감사했어요. 무거워서 어떻게 하나 걱정이었는데 선배가 짠! 하고 나타나서 옮겨 주셨더라고요.”

“내 것 옮기면서 같이 한 건데 뭘.”

“그래도 정말 고마웠어요.”

그렇게 어색하고 정형화된 인사말이 오고 갔다. 그런데 이상하게 어린 시절의 기억이 겹치며 무언가 묘한 감정이 느껴졌다.

‘내가 이 친구를 알고 지낸 지가 얼마나 됐지?’, ‘대학 선배랍시고 밥이라도 한번 사 준 적이 있었나?’ 혼자서 기억을 곱씹어 보았다.

그날 이후로 아내와의 만남을 주제로 하여 하루하루 내 마음을 기록으로 남겼다. 채 6개월의 기간이 넘지 않은 상황에서 우리는 자연스레 결혼에 관한 이야기를 나눌 만큼 급속도로 가까워졌다. 그동안 주로 혼자 마음을 키웠고 그 마음은 편지를 통해서 아내에게 자연스럽게 전달되었다.

조그맣고 사소한 친절과 호의는 시간이 지날수록, 그리고 한겹 한겹 누적될수록 산처럼 높이, 그리고 단단히 쌓이는 법이다. 우리는 누가 먼저랄 것도 없이 흐린 날에 비가 내리듯 그냥 순리대로 결혼에 이르렀다. 아내와의 시간을 기억해 보았다.

쫓기듯 살다가 어느 순간 잠시 멈추게 되면 내 주위의 소중한 것들이 보인다. 매일 보던 사람이지만 우연한 기회에 밥이라도 먹으며 얘기를 잠시 나누다 보면, '그래! 이 사람이 내 주변에 있었지.'라는 생각을 품게 되고 그 사람에 대해 깊이 생각하게 된다. 그전에 그 사람과 나누었던 이야기, 같이했던 일, 회식 자리에 앉아 있었던 모습이 떠오른다.

그러다 보면 자연스레 그 사람이 보이게 된다. 평소 그냥 지나치던 그 사람의 옷차림, 표정을 보게 되고 말투가 들리게 된다. 참 신기할 따름이다. 사람이 보이는 건.

소중한 건 없어져야 알 수 있다는 진부한 표현이 진리로 느껴지는 순간이다. 사라지기 전에 소중함을 알기 위해서 그 사람이 사라진 시간을 미리 상상해보는 건 어떨까?

일상에 지쳐 물먹은 솜처럼 무거운 시간. 그 사람은 지금 무얼 하고 있을까? 궁금한 것은 참 신기한 일이다. 당연히 맘속에 일정 공간이 그 사람으로 차 있는 것이겠지. 스스로 아니라고 해 봐도.

'그리운 것은 그리운 대로 내버려 두고 생각난 것은 생각나는 대로 그냥 두자.'

스스로 마음을 다잡았다.

ㅜ

학교로 출근하는 길은 항상 무거웠고, 차에서도 오늘 해야 할 일이 뭔지 하나씩 계획하며 벌써 지친 채로 출근했었다. 그런데 요즘은 그 사람은 무슨 옷을 입고 올지, 만나면 뭐라고 인사를 할지 재미있는 고민을 하며 가고 있는 나를 보게 된다.

성가셨던 점심시간이 그 사람을 곁눈으로라도 볼 수 있는 시간이 될 수 있어 좋기만 했다. 그 사람이 무얼 먹고 있는지, 표정은 피곤하지 않은지, 그런 거. 멀찍이 떨어져 하는 점심 식사지만 그냥 마주 보고 식사하는 느낌? 아니 상상을 자주 하게 된다.

그 사람은 내가 자기를 쳐다본다는 것을 알고 있을까? 얼핏얼핏 얘기는 했지만, 알고는 있는 건지 궁금할 때가 있었다. 나를 조금이나마 받들어 주는 것인지, 아니면 그냥 무심한 것인지, 알면서 모르는 척하고 있는 것인지. 그것도 아니면 그런 관심이 부담되어서 모른 척하는 것인지.

"내가 당신 챙기는 거 알고 있어?"

"그럼요 다 알지요, 저도 사람인데 그런 것도 모르겠어요?"

아침에 준비한 물건과 내가 좋아하는 책을 그 사람에게 건네주었다. 그 사람은 어리둥절한 표정과 함께 기분 좋은 표정을 동시에 짓고 있었다.

아무 말 없이 쇼핑백을 건네주고 돌아왔다.

"오늘 무슨 기념일인가요?"

"화이트데이."

초콜릿과 내가 즐겨 보는 얇은 월간 문학잡지를 함께 준 것이다. 가볍게 주고받는 선물은 상대방에게 큰 부담을 주지 않는 것과 동시에 기분을 살짝 좋게 만든다. 작은 선물이라 거절할 필요까지도 없으므로 주고받는 사람이 모두 부담이 없다.

이렇게 아내는 내 조그만 호의를 거부하거나 다른 마음의 짐을 가지는 것처럼 보이지는 않았다.

오늘은 너무 지친다. 오늘 어떤 사람과 무슨 얘기를 나누었는지 아무 기억이 나질 않는다. 사람과 이야기 나누는 일이 나를 더욱 지치게 했다.

우연히 보인 손이 참 예쁘다고 생각했다. 아니 손가락이 참 예쁘다고 생각했고 그 장면만 기억난다. 오늘은 점심도 빨리 먹어서 식당에서도 보질 못했다. 두어 달 사이 나눈 대화가 지난 3년 동안 나누었던 대화보다 훨씬 많아졌다. 다행이다. 만약 3년 동안 계속 쌓았더라면 얼마나 많은 마음이 감당치 못할 만큼 많이 쌓였을까.

이어폰으로 가슴 아리는 노래를 들으면서 그 사람을

보고 있으면 그 장면이 멋진 뮤직비디오의 한 장면 같이 느껴졌다.

'그 사람이 현실에서 보이지 않는 것. 슬픈 일이다. 심지어 마음이 없어져서 안 보이는 일은 훨씬 더 슬프겠지.'

짝사랑일지도 모르는 이 관계에 대하여 혼자 독백했다. 그 사람의 손을 본 어느 날, 그 사람은 나에게 자그마한 쪽지와 핸드크림을 선물로 주었다.

"선배, 지난번에 보니 손이 많이 텄어요. 틈나는 대로 이걸 바르세요."

그 사람이 아침 출근 시간에 교실로 가지 않고 바로 나에게로 왔다. 장학 자료 준비로 분주한 시간이었다.

"선배, 이 예산은 구청 예산인데 제가 용도를 잘못 사용한 것 같아요. 어떻게 해야 할지 모르겠어요."

무슨 큰 잘못이라도 한 것처럼 나에게 물었다.

"담당자와 이야기 해 보면 되지 않을까요? 금액이 많지도 않고 특별히 문제가 되지는 않을 것 같은데?"

업무 경험을 바탕으로 적절한 조언을 해주었다. 아마 도움이 되었을 것이다. 사실 나와는 직접 관계된 건 아닌데 나름으로 고민하고 의논하고 싶어 하는 눈치였다.

분주한 일을 제쳐 두고서라도 조금이나마 도움이 되고 싶었나 보다. 뭐라도 해주고 싶은 마음이 가득히 올라왔다. 그리고 출근길에 이렇게 얘기하는 걸 보니 얼마나 고민했을까 하는 측은한 마음이 들었다.

난감한 일을 함께 고민하는 것은 그 사람에 대해 기본적인 신뢰가 있어야 가능한 일, 그전보다는 조금 가까워진 느낌이 들었다. 왜냐하면 그전에는 그런 일로 이야기한 적이 거의 없었으니까. 사람 사이의 관계를 표현할 때 '가깝다', '멀다'라는 거리의 의미로 표현하는 것이 신기했다. 그렇게 아내는 내 마음의 영역 안으로 조금씩 조금씩 들어왔다.

아내에 대한 마음을 키우게 된 것은 학기 초 바쁜 일정이 조금 지난 3월 말 정도부터였다.

학부모 공개 수업 날이다. 우연히 본 그 사람의 의상은 검은색이었다. 검은색 정장을 자주 입는다. 취향이 그랬다. 복도에서 마주친 그 사람에게 인사를 하였다.

"나랑 같은 검은색 컬러 옷이네? 이것도 인연인가?"
나와 어울리지 않은 농담 비슷한 말을 던졌다.

"그러게요, 오늘 이상하게 검은색 옷을 입고 있었는데, 선배랑 깔 맞춤한 것 같네요."

웃으며 받아주는 표정이 귀엽다.

"같이 커피라도 한 잔 마셔야 하는 건가?"

"그러게요. 정말 그럴까요? 시간 되세요?"

퇴근길에 그 사람과 목련에 관해 이야기를 나누었다. 교정 뒤편의 목련이 피었을까 봐 매일매일 살펴본다.

날짜는 보지 않고 같은 자리의 꽃모습만 살펴본다. 어느 땐가 하얗게 핀 목련을 황홀한 표정으로 한참 동안 쳐다보던 기억이 난다.

지난번 하지 못했던 이야기를 이제야 해주었다. 교정의 목련이 활짝 필 때 따듯한 차 한잔 마시며 일상의 이야기를 도란도란 나누고 싶다는 이야기 하고 싶었다고. 그냥, 학교 얘기, 동료들 얘기, 평범한 하루하루 일상의 이야기들.

매년 이맘때면 일 년에 채 5일도 피지 않고 사라져 버리는 목련이 보고 싶어 기다리곤 한다. 목련이 아름다운 이유는 너무 짧은 시간에만 피어있어서겠지. 하얀 꽃잎들이 내 마음을 위로한다. 심지어 색깔이 변하여 바닥에 떨어진 모습조차 애처롭다.

그 사람과 일주일 동안 있었던 소소한 일들에 관해 이야기를 나누었다. 주로 내가 그 사람과 스쳐 가며 순간순간 느꼈던 생각들을 이야기했다. 사실 짧은 만남의 순간에도, 심지어 그 사람과 아무 말도 나누지 않을 때도 여러 생각의 조각들이 떠오르곤 한다.

한동안 잃고 살았던, 아니 잃은 줄 알고 있었던 나의 글쓰기를 다시 시작하게 만들어 준 사람이다. 그 사람의 의미를 표현하기 위해 꽃, 하늘, 나무를 다시 보게 된다. 아니, 그 사람을 보면 그러한 것들이 보이게 된다.

아침이면 내 옷차림을 살피기 위해 거울을 한 번 더 보게 되고 깨끗한 신발을 신기 위해 노력한다. 내 옷소매 사이로 살짝 드러난 타투가 보인다는 말에 옷소매를 조심스럽게 내리게 된다.

이 사람이 3년 넘게 내 주위에 있었다는 것을 모르고 지내왔다. 물론 심성이 착한 사람이라는 생각은 얼핏 했었지만, 이 사람이 코로나로 아팠을 때도 위로하지 못했고 자그만 선물조차 할 생각도 하지 못했다.

이 사람은 나의 어색한 칭찬에 미소 짓고 멋쩍어하

고 내가 아침마다 보내주는 노래에 눈물도 흘릴 수 있는 사람이었다. 단지 내가 그 사람의 모습을 자세히 살피지 않았을 뿐이었다.

그 사람이 어디에 살고 있는지 무엇을 하는 것을 좋아하는지 전혀 알지 못했고 알려고 하지도 않았다. 정확히 말하면 그냥 자기 마음을 잘 표현하지 않고 조용하고, 차분한 성향을 지닌, 그냥 같은 학교에서 근무하는 동료 이상 이하도 아니었다. 지금 생각해 보면.

아무도 모르게 새벽에 잠시 내려 아침이면 벌써 모두 녹아버려 없어진 첫눈처럼 반갑고 아련한 존재이다. 가슴을 파고들지는 않지만, 가슴을 따듯하게 데워줄 수 있는 사람이다. 온종일 보고 싶은 마음이 들지는 않지만 보면 반갑고 짧은 인사를 건네고 싶고 그 사람의 짐을 대신 들어주고 싶은 사람이다.

내 감정은 무슨 단어로 표현할 수 있을까? 사랑, 당연히 아니고. 연민? 애처로움? 편애?

그 사람에게 묻고 싶기도 한데 결국 내 마음이니 상대방은 정확히 알 수가 없겠지. 내가 찾아야지.

ㅜ

오늘 아침 나에게 이야기할 때, 그리고 퇴근길 차를 태워주기 바로 전 아내는 무릎을 굽히고 있었고 바닥에 주저앉아 있었다. 특히 퇴근길에 주저앉아 있는 모습에 내 마음이 좋지 않았다.

종일 힘든 일을 했다며 약간은 엄살이 섞인 투정을 했다. 맡은 일을 한 것이지만 마음이 불편했다. 다음에 그런 일이 있으면 내가 도와주고 싶었다. 언젠가 축 처진 어깨로 퇴근하는 뒷모습을 볼 때와 같이 애처로운 느낌이었다.

차로 데려다주길 잘했다고 생각했다. 그런데 그 사람이 어느 날 특히 지쳐있는지 알지 못하기 때문에 도와줄 수가 없다. 그 사람은 나에게 먼저 도와달라는 말도 하지 않고 힘드니까 집까지 태워달라는 말도 먼저는 하지 않는다. 그런 얘기를 자주 해주면 더 좋겠다는 생각이 들었다.

나는 그 사람이 항상 기분 좋게 있기를 원한다. 조금이라도 지치거나 힘든 일은 없었으면 하는 마음이다. 힘들어하는 모습을 볼 때면 이상하리만치 내가 마음이 아린다.

몇 년 전부터 4월이면 황홀하게 쳐다보았던 목련의 봉오리를 바라보았다. 목련향에 취한 듯 무덤덤하게 바라보는 내 모습이 보였다.

피는가 싶으면 지고 마는 목련은 슬프다.

목련은 어느새 뚝뚝 꺾이고, 벚꽃은 바람에 흩날려 허공 속으로 떠난다. 허망하지만 그래도 아름답다.

그 사람, 살포시 웃는 모습이 목련을 닮았다. 활짝 필 듯하다가 이내 져버리고 말아서 더 보고 싶고 그리운 목련을 닮았다.

바닥에 떨어진 꽃잎을 만져보니 따뜻했다. 그리고 슬펐다. 목련꽃은 슬펐다. 오늘 그 사람의 뒷모습도 슬펐다.

아내에게 퀴즈를 냈다.

"우리 학교에 목련이 어디에 있는지 알아요?"

"글쎄요, 사실 목련이 어떻게 생겼는지 잘 모르겠어요."

"목련이 있는 곳을 찾아보세요. 우리 학교에 딱 한 그루가 있어요. 4월 첫 주 딱 5일 정도만 활짝 피어요"

아내는 궁금한 듯 고개를 갸웃거렸다.

며칠 후 아내는 목련을 찾았다고 말해 주었다. 매일 점심 식사 후 산책 삼아 교정을 돌아다녔다고 했다. 그리고 활짝 핀 목련꽃이 너무 예뻤다고도 전해주었다.

"목련이 왜 슬픈지 알아냈어요?"

"글쎄요, 그런 느낌까지는 잘."

선문답처럼 아내에게 말해 주었다. 물론 내 주관적이고 감성적인 느낌이지만.

"일 년에 5일 정도 만발했다가 금방 떨어져 버리거든요. 아름다움이란 게 그런 것 같아요. 길면 길수록 그 아름다움은 꺾이게 마련이지요. 그런데 목련은 짧은 기간만 피었다 사라지기 때문에 더 가치가 있는 것 같아요."

"그래도 사철나무나 선인장처럼 아름답지는 않아도 일 년 내내 꾸준히 숨을 쉬는 것도 좋지 않을까요?"

아내는 나와는 다른 아름다움의 정의에 대하여 맞받아쳤다.

"목련꽃이 일 년 내내 피어있으면 좋겠네요. 물론 그럴 수는 없지만."

모호한 결론으로 이야기를 마무리 지었다.

ㅜ

나에겐 마술 같은 사람, 그 사람이 내게로 다가왔다. 내 공간으로, 그것도 스스로.

내가 근무하는 교무실로 아내가 예고도 없이 찾아왔다. 마침 교무실에는 나 혼자 밖에 없었다. 아내는 지나가다가 그냥 들렀다고 말하면서 시집(詩集)을 한 권 건네주었다. 시간 될 때 읽어보라는 말을 남기면서. 그리고 그냥 일상적인 이야기를 몇 마디 주고받았다.

마주 앉아 차를 마신 게 처음이 아니었던가 라는 생각이 들었다. 밥은 먹은 적이 있어도 이렇게 함께 차를 마신 적은 없는 것 같다.

그 사람에 대한 궁금증은 관심의 시작이겠지. 그 사람이 어제 나에게 처음으로 저녁 시간에 질문을 했다. 퇴근은 했냐고. 참 무던한 사람이 처음으로 나에 대해 궁금해했다. 그것이 통상적인 인사든 뭐가 되었든 간에 처음으로 나에게 궁금함을 표시했다.

살짝 웃음이 난다. 이 사람은 내가 자신에 대하여 무슨 마음을 가졌는지 느꼈을까? 세속적인 사랑은 아니더라도 관심, 염려, 애처로움, 연민. 뭐 등등 이런 것들이 복합된 것 같은데. 나 자신도 정확히는 알 수가 없다. 이 사람은 그중에서 어떤 감정으로 나를 받아들이고 있을까?

그런데 사람의 마음을 한낱 단어로 표현하는 것이 가능할까? 그리고 그렇게 표현한들 무슨 의미가 있을까? 이 사람과 이야기를 나눌 때면 숨 가쁘게 쫓기던 업무도, 바쁜 일정도 아무것도 아닌 것이 돼버린다.

그냥 쉼표 같은 존재이다. 점 하나로 나의 바쁜 시간을 멈추게 할 수 있는, 게다가 계속 이야기 나누고 싶다고 생각하게 만드는 마술까지. 이 사람도 나와 이야기할 때면 그런 마음이 들까? 하는 생각이 들었다.

오늘은 내가 이 사람에 대해서 궁금함이 훨씬 더 커진 것 같다. 서로 마음 활짝 터놓고 이야기하고 싶을 때도 있는 것이 사실인데 아직은 그럴 때가 아니라는 생각이 더 컸다. 약간의 거리가 있어야 그 관계가 더 편하고 오래간다고 생각한다.

그래서 지금이 좋다. 딱 이 정도. 가끔 궁금하고 설레는 이 정도만.

ㅜ

아내는 서툰 표현이지만 자기 생각을 간단한 문장으로 짧게 전해왔다. 그리고 처음으로 업무 아닌, 그냥 사는 이야기를 학교 밖에서 만나 나누었다.

마침내 오늘 아침. 거의 핀 목련을 보면서 반가웠지만 한편으로는 내심 슬펐다. 언젠가 썼지만, 활짝 피자마자 이내 저버려서 더 그립고 보고 싶게 되기 때문이었다.

목련은 내년 4월이면 다시 피지만 그 사람은 볼 수 없어 더 슬펐다. 사실 이 글을 오늘 그 사람에게 보내고 싶었는데 자신이 없어서 보내지 못했었다. 별거 아닌 나의 도움에 고맙다고 하는 말이 너무 따듯하게만 느껴졌다. 내 심장에 따듯한 손을 얹는 듯했다. 손바닥의 따사로움이 가슴에 퍼져가는 느낌이었다.

그런데 이 사람이 그냥 표현이 적고 서툴러서 그럴지도 모른다고 생각했다. 이 사람도 그냥 보통의 사람이라는 생각이 들었다. 좋은 감정이 있고 진짜 고마워서 고맙다고 하고, 정말 내가 생각나서 생각난다고 이야기할지도 모른다는 생각이 든 것이다.

그 사람과 내가 같은 색의 옷을 입게 되는 '우연'조차 자칫 '인연'이라는 한 글자 차이지만 완전히 다른 의미의 단어로 받아들이고 싶은 착각을 하게 된다. 행복한 착각? 아니 상상.

목련은 매년 같은 자리에서 또 피지만 그 사람은 같은 자리에서 매년 볼 수 있는 것이 아니다. 그래서 목련보다 더 소중하다. 더 그립고 더 보고 싶은 존재이다. 난 오늘도 황홀한 표정으로 거의 피어서 시들기 직전인 목련꽃을 애처롭게 바라보고 있었다.

ㅜ

오늘은 직원회의가 있는 날이었다. 오랜 시간 그 사람과 옆자리에 앉게 되었다. 옆자리는 그 사람의 얼굴은 보이지 않지만 가깝게 있게 되고 앞자리에 마주 보는 것은 얼굴과 눈을 서로 볼 수 있어 좋았다.

내 안경에 무언가 묻어 있었다. 안경을 벗어 내 윗옷으로 닦았다. 옆에 있던 아내는 "그렇게 하면 안경 유리에 흠이 생겨요. 제가 닦아 드릴께요."

안경을 빼앗듯이 가져갔다. 그러고는 자신의 티셔츠로 꼼꼼하게 닦아주었다. 티셔츠는 면으로 되어서 잘 닦인다고 말하면서. 그 티셔츠는 자기 살이 바로 닿는 겉옷 안쪽의 티셔츠이다. 그것으로 안경알을 닦아 준 것이다. 순간, 조금 놀랐다.

사도신경의 '하나님 우편에 앉아 계시다가'라는 말의 의미를 약간은 이해가 되었다. 오늘 그 사람은 내 오른편에 오랜 시간 앉아 있었다. 가장 가까운 옆자리에서 내 옆모습을 지켜보았을 터이다. 나의 편이 돼주는 느낌이었다.

회의를 마치고 어쩌다 보니 인근 공원에 함께 가게 되었다. 가로등 불빛 사이로 보이는 벚꽃이 멋져 보였다. 약간은 어두웠지만 편안한 나무가 있고 둘이서만 앉을 수 있는 자그만 벤치에까지 내 옆에 앉아 있었다. 오히려 마주 앉을 때 보다 더 가깝게 그 사람의 존재를 느낄 수 있었다. 얼굴을 보며 이야기를 나눌 수는 없지만 어쩌면 마주 보지 않아서 더 편하게 이야기를 나눌 수 있었던 것 같다.

아내도 내가 옆에 앉아서 좋았고 내가 챙겨주어서 좋았고 집에 같이 가자고 해서 좋았다고 했다. 그리고 정확히 '나'인지는 모르지만 따듯함에 스며든다고 표현했다. 그 사람이 내 팔을 꼭 잡고 있었으면 좋겠다고 생각했다.

눈부신 그 사람이 지금, 토요일 오후 내 옆에 앉아서

이야기를 나누고 있다. 감기와 약 기운에 몽롱한 내 의식과 함께 그 사람의 모습과 말소리가 아련히 꿈속에 있는 느낌이다.

지하철역에서 이어폰을 낀 채 기대어 나를 기다리는 모습이 애처로웠다. 그 모습이 아름다워 한참을 쳐다보고 나서야 그 사람을 불렀다. 눈이 부신 햇살 사이로 더 눈부신 그 사람이 너무 좋았다.

멋쩍게 함께 걸으며 약간은 어색한 대화가 오고 갔다. 오늘따라 공원에 다니는 수많은 사람이 귀찮게 느껴지지 않고 오히려 어색한 이 느낌을 가려주어 약간은 고마운 생각도 들 지경이었다.

그 사람을 둘러싸고 있는 모든 배경을 빼고 나와 그 사람만 놓고 보면 어떤 마음이냐는 나의 질문에 잠시의 망설임 없이 나에 대해 좋은 마음을 갖고 있다는 대답이 나를 조금은 당황스럽게 했다. 물론 기분은 좋았지만.

어느 순간 마주 닿아버린 그 사람과 나의 마음. 평생 절대 만나지 않는 나란히 놓여있는 한 쌍의 평행선. 닿았더라도 닿았는지도 모르고 지나쳤을 수 있는 두 사람의 마음의 선이 어느새 닿아버린 것을 서로 확인한 시간이었다. 그러나 닿았다는 것을 느낀 순간, 어쩌면 바로 다시 떨어져야 할지도 모르고 또 언젠가는 다시 떨어져 각자의 방향으로 나아가야 할 것 같은 걱정과 염려가 함께 공존하는 느낌이었다.

내가 이미 여러 차례 고민했던 이 감정의 정체에 대해서 그 사람도 고민하고 있었고 지금은 괜찮다고 하였다. 그런데 그 사람은 눈물을 흘렸다. 나도 마음이 너무 아렸다.

따듯한 봄바람에 순식간에 흩어져 버리는 벚꽃처럼 나무에서 떨어지는 그 순간부터는 아름다움이 아무것도 아닌 게 되어버리는 슬픔이 느껴지는 하루이다.

그 사람에게 그냥 그리우면 그리운 대로, 생각나면 생각나는 대로, 눈물 나면 눈물 나는 대로 그냥 두라는 것밖에 할 수 있는 말이 없었다.

사람이 눈부시다고 느껴본 적이 있었던가.

지난 금요일 공원에서 따듯한 햇살을 함께 맞으며 벚꽃길을 함께 걷고 토요일도 조용한 공원을 어색한 느낌으로 걸으며 함께 시간을 보냈다.

지극히 사적 영역으로 생각했던 토요일 오후를 나와 그 사람이 함께 보낸 것이다. 그것도 햇살이 가장 따듯하고 벚꽃이 가장 만발한 계절과 시간에.

지난해만 해도 그 사람의 시간에 내가 들어갈 거라고는 상상조차 할 수 없었다. 아니 들어갈 수 있다는 생각을 전혀 하지 못했다.

따듯하고 눈이 부신 햇살을 맞으며 함께 이야기를 나누는 것은 내 바람일 뿐이었다. 하지만 토요일 그 장소에, 그 시간에 그리고 바로 그 사람이 내 앞에 있다는 것이 꿈만 같았다. 마치 어릴 적 좋아하던 만화 영화 속의 주인공이 현실에 나타나 나와 이야기를 나누는 꿈을 꾸었을 때의 느낌이었다. 상상과 꿈이 현실이 된 느낌이었다.

공원의 꽃이 더 활짝 피는 느낌이었고 그 속에 있는 그 사람은 더 눈부시게 빛났다. 그 사람이 흘리는 눈물조차 그 사람을 더욱 찬란하게 만도는 소품일 뿐이었다. 그리고 검은색 모자가 그렇게 멋진 장식이 될 수 있다는 것을 처음 알게 되었다.

그 사람의 옆에서 어깨를 살짝 부딪치며 걷고, 손이 마주치고 가끔은 멈춰서서 서로 마주 보며 각자의 진심을 이야기하였다. 표현이 서툰 그 사람이 그런 진심어린 이야기를 하기 위해서 얼마나 많이 고민했을까.

사실 내 마음 이외는 잘 믿으려 하지 않는다. 그 사람의 진심 어린 말조차 쉽게 믿으려 하지 못했다. 이제까지 한 사람과 그렇게 긴 시간을 단둘이서 시간을 보내는 것이 쉽지 않았다. 그 사람과 매일 서너 시간을 이야기하며 사흘 동안이나 시간을 함께 보냈다. 이야기 나누는 것이 지치지 않았고 시간이 어느새 금방 지나가는 것을 느꼈다. 그 사람도 그랬을까?

ㅜ

벚꽃이 질 무렵의 토요일 늦은 저녁. 그 사람에게 연락이 왔다. 어젯밤, 토요일 저녁에 연락하겠다고 미리 말했었다. 서둘러 택시를 타고 그 사람에게 갔다. 평소에 가끔 함께 퇴근하던 길이다. 익숙했다. 그리고 그 길이 정겹게 느껴졌다. 마음이 편했다. 낯선 곳에 간다는 생각보다 그 사람을 잠시라도 마주할 수 있다는 기대가 훨씬 컸다.

이름 모를 꽃이 우거진 길 위에 그 사람이 나를 기다리며 서 있었다. 애처롭다. 주말이 힘들다는 내 말이 마음에 걸렸나 보다. 착하다. 그 사람은 착하다.

한적한 공원의 차분한 느낌과 얕은 조명이 나를 더 편하게 한다. 이 시간, 이 사람과 이렇게 가까이 이야기를 나눌 수 있다. 좋다. 어제도 이 부근에서 잠시지만 함께 식사했다. 마주 보며 둘이 함께 같은 음식을 먹는 게 좋다. 그냥 좋다. 어떤 설명이 필요할까. 그냥 좋다. 마냥 좋다.

살짝 잡기만 허락된 그녀의 부드러운 손, 가녀린 어깨. 솔직히 아직은 그 사람에 대해 이성적인 감정이 크지는 않다. 쓰다듬어 주고 싶고 안아주고 싶고 챙겨주고 싶은 사람 정도이다. 물론 이성으로써 느껴질 때도 있다. 지금도 마찬가지고. 그런데 이성이건 무엇이건 간에 그냥 좋다. 보고 싶다. 그립다. 이야기 나누고 싶고 가까이 오면 그 사람의 따듯함이 느껴진다. 그게 더 중요한 거 아닌가?

정말 그 사람에게 묻고 싶었다. 내가 좋아하고 그리운 사람에게 그런 질문하는 것이 당연하다. 그 사람에게 '나를 좋아하느냐'라는 물음이 아니라 '내가 그리운 만큼 너도 내가 그립냐고' 물어보고 싶었다.

그 사람은 내가 옆에 있으면 자신을 많이 예뻐하는 것이 느껴진다고 말했다. 그렇겠지. 사실이니까.

지루하고 약간은 우울했던 주말의 시간이 오늘은 다르게 느껴졌다. 지루한 주말이 아니다. 월요일에 다시 만날 그 사람을 기다리는 행복한 시간이다. 그렇게 생각했다. 마음속에 형체를 알아볼 수 없는 어느 존재를 바라보는 느낌, 그 사람에 대한 막연한 그리움의 시간. 그 사람과 스쳐 지나기만 해도 행복하고 가슴 설레던 그때처럼 주말의 시간을 보낼 것이다.

새벽에 눈이 떠졌다. 어제 야근으로 피곤해서 조금 일찍 잠이 들어서인가 보다. 그 사람도 지금 일어나 있을까? 요즘 자꾸 새벽에 일어나게 돼서 잠을 설친다고 했었는데. 혹시 지금의 나처럼 그 사람도 날 생각하고 있지 않을까 생각해 보았다.

토요일 밤에 만났을 때 느꼈던 그 사람의 향기가 아직 기억난다. 연애 감정은 아니라는 그 사람의 말과 함께.

예기치 못할 상황이겠거니 생각하긴 하는데. 나도 하루 일 힘들었던 거, 그런 거 얘기 나누고 싶을 때 있는데 못하는 거, 그런 거 서글프고 슬프고. 나도 당신한테 위안받고 싶을 때 있는데 시간은 하루하루 하염없이 지나고. 아껴주고 쓰다듬을 수 있는 시간은 하염없이 지나가고.

혼자 길을 걷다 베이지색 상의와 검은색 바지를 입은 사람을 스쳐 갔다. 지난 2월 그 사람의 모습이다. 긴 머리가 그녀를 닮았다. 그날 그녀의 모습이 떠올라 혼자 웃었다.

지금과 비교하면 그녀가 너무나 멀리 있었던 때이다.

하루가 참 길다. 교회도 다녀오고 야구장도 갔는데 아직도 한낮이다. 언젠가부터 일요일이 너무 길고 힘겨운 날이 되었다. 월요일을 기다리는 행복한 시간이건, 슬픈 시간이건 그 시간은 너무나 길어졌다. 그렇다고 시간이 빨리 가길 바랄 수도 없다. 함께할 시간이 그만큼 줄어들기 때문이다.

그래도 지난주는 꿈 같았다. 눈 떠보니 아침이었다. 금요일 저녁때의 시간이 꿈이 아닌 것을 확인한 건 토요일 아침 그 사람과의 통화를 통해서였다. 나 혼자만의 꿈이 아니었구나. 아니면 둘이 같은 꿈을 꾼 것이거나. 뭐든 좋다. 같이 꿈을 꾸던. 나 혼자 꿈을 꾸던. 슬픈 현실이던.

날 위해서 무언가를 하는 그 사람이 너무 사랑스럽다. 함께 있어 주려고 노력하고 내가 슬퍼할까 봐 걱정해 준다. 내가 조금이라도 우울해 보이면 힘들어도 계속 말을 걸어주고 들어준다. 그 사람이 사랑스럽다. 눈물이 날 만큼. 일요일 얘기를 하는 게 아니었다. 그 사람한테 걱정만 안겨주게 되었다.

늦은 밤 혼자 집 앞을 걷다가도 그 사람 생각이 난다. 아니 어디서건 무엇을 하던 그 사람 생각한다.

꿈속에서도 그 사람이 나온다. 짧게 또는 길게 스치듯 계속 그 사람 생각이 난다. 중독 같은 건가? 왜 이리 생각이 날까?

5월 연휴의 어느 날, 한적한 골목을 함께 걸었다. 어린아이들처럼 함께 어울려 길거리에서 아이스크림을 나누어 먹었다. 어릴 적, 집 부근에서 같은 학급 여학생과 우연히 마주친 적이 있었다. 함께 아이스크림을 먹으면서 가까운 곳에 살고 있다는 것을 알게 되었을 때 느꼈던 반가운 감정이다.

내 앞에는 어릴 때의 나와 그때 만났던 여학생이 나란히 서 있는 것이 보였다. 물론 지금의 내 옆에는 그 사람이 서 있다. 그때의 내 마음이 지금과 비슷했을까?

예쁜 우리 반 여학생을 우연히 길에서 만났을 때의 유쾌함은 거의 40년이 지난 지금에도 기억이 난다. 우리 반 친구들 아무도 모르는, 그 여학생과 나만의 조그마한 비밀을 갖게 된 소소한 기분 좋음이다.

지금이 그렇다. 함께 했던 시간을 둘만 알고 있다는 사실이 작은 기쁨이랄까? 단지 어릴 때의 그 기분 좋음은 추억이라는 단어로 표현되지만, 지금의 느낌은 그냥 '슬픈 현실로부터의 잠깐의 도피?' 정도지만.

어느덧 그리움이 익숙해져 버린 요즘이다. 그리움이 익숙할수록 그 사람이 보이지 않았을 때의 공허함에 대한 두려움도 커져만 간다. 벌써 매우 두려워졌다. 겨울이 되면 얼마나 많은 추억과 두려움이 겹겹이 쌓여 있을까.

그때부터는 그 사람과의 추억을 하루에 하나씩은 잊어갈 수 있을까? 그래도 다 잊기에는 꽤 오랜 날이 걸릴 수 있는데. 어쩌면 지금 함께 한 소중한 시간 속에서 헤어지지 않을 이유를 계속 찾아야 하는 것은 아닐까. 생각만 해도 두렵고 마음 아프다. 헤어지지 않을 이유를 찾고 싶다.

ㅜ

우리가 함께 마음속 이야기를 나누기 시작한 것이 4월 1일. 이제 한 달여가 지났다. 짧디짧은 시간이지만 어느덧 그리움이 익숙할 만큼 가까워져 버렸다.

봄비처럼 내려와 어느새 슬그머니 내 마음속에 스며들어 이젠 파낼 수도 없이 온 마음에 번져있는 당신입니다.

어디서부터 도려낼지 알 길이 없어, 그냥 둘 수밖에는 다른 방법이 없는 내 마음 깊은 어느 곳엔가 자리 잡아버린 그 사람이다.

한편의 감동적인 사랑 영화를 본 후, 쉽게 자리에서 일어서지 못하고 한참 동안 멍하니 앉아 있던 기억처럼, 한 달여의 시간 속에서 수많은 추억거리를 만들 수 있었고 때로는 현실을 깨닫고 슬퍼했던 적도 있었다. 그 사람은 어떨지 모르겠지만.

오늘은 오랜만에 촉촉한 봄비가 온종일 내렸다.

그 사람에게 편지를 썼다. 흘러넘치는 마음을 주체할 수 없을 때 편지가 써진다. 나도 모르게,

당신의 따듯하고 나지막한 목소리에 귀가 멀고 당신의 향기에 후각을 잃고 당신의 어여쁜 얼굴에 눈이 먼 느낌입니다. 내가 서 있는 곳 어디서든 당신이 생각나고 그리웠으니까요.

비가 오면 비를 맞으며 그리워했고 길을 걸을 때면 걸으면서 당신이 보고 싶었고 음악을 들으면 그 그리움이 더욱 사무친 적이 많습니다. 하루가 저물 무렵에는 감당할 수 없을 만큼 당신이 보고 싶고 듣고 싶고 만지고 싶은 마음이 한없이 커져 버리곤 했습니다.

당신이 보내준 짧디짧은 두어 문장의 휴대전화 문자를 수십 개로 썰고 다시 가루를 낼 정도로 여러 번을 즐겁게 보곤 했습니다. 심지어 당신이 삭제한 문장까지도. 그 사이사이에 숨어있는 당신과의 기억을 새록새록 떠올려 보는 것이 어느덧 습관처럼 되어버렸습니다. 하루의 문을 닫는 시간의 마지막 혼자만의 인사처럼.

잠자기 직전 내일 당신과 또 어떤 재미있는 일이 생겨날지 기대하며 잠을 청하곤 합니다.

가끔 상상하곤 했던 당신이 보이지 않는 가슴 아픈 장면도 이제 낯설지 않습니다.

사랑도 사람의 일이라 만날 때에 미리 떠날 것을 당연히 생각해야 하지만 이렇게 첫 만남부터 헤어질 것을 정해놓고 시작하는 것이 그토록 힘들고 슬픈 일인지는 몰랐습니다.

당신의 이름을 처음 불러주었을 때가 생각납니다. 당신이 내게 훨씬 가까워졌다는 게 느껴졌습니다. 아니 내가 당신한테 많이 다가갔다는 생각이 들어 좋았습니다. 그냥 이름을 부른 것에 지나지 않을 수도 있지만. 그 의미는 크게 느껴졌습니다.

사랑한다, 보고 싶다는 흔하디 흔한 한마디 표현조차 세상의 허락을 받아야 하는 현실이 가슴 아플 때가 있었습니다. 그래서인지 그 한마디가 그렇게도 소중하게 느껴졌는지도 모르고. 하지 말아야 할 말인지는 모르지만 그래도, 그래도 그 말은 꼭 해주고 싶었습니다.

당신과 허락된 시간을 기다리는 동안 그리움은 쌓이고 그 쌓은 곳에 또 그리움이 쌓입니다. 잠시의 통화나 만남으로는 도무지 해결할 수 없을 만큼.

그래도 당신이 나 때문에 신경 쓸까봐 아무렇지 않은 척 당신을 맞이합니다.

당신의 말 한마디와 손가락의 작은 움직임 하나까지도 너무 예쁘고 사랑스럽습니다. 정말 당신에게 많이 취해 있나 봅니다.

ㅜ

이미 초여름이다. 5월 하순인데 마치 여름처럼 더위가 느껴졌다. 아무 생각 없이 집 주변의 산책길을 걷게 되었다.

걷는다. 또 걷는다. 가로수, 장미꽃, 신호등이 함께 걷는다. 그 사람이 생각날 때마다 걷는다. 그리움을 조금이라도 줄이려고 걷는다. 그런데 줄어들기는커녕 더 많이 그립다. 몸이 아플 정도로 보고 싶다. 걸어도 보고 싶고 가만히 있어도 보고 싶다. 그립고 또 그립다.

무엇도 비유해서도 표현하지 못한다. 그냥 그립다. 보고 싶다. 얘기하고 싶다. 그립다. 보고 싶다. 함께 있을 때도 그립고 보고 싶다. 앞에 앉아 있는데도 보고 싶다. 바로 옆에 있는데도 보고 싶다. 옆에 없을 때는 더 보고 싶다. 만났다 헤어지고 나서는 더 그리워 하늘만 한참 쳐다본다.

새벽 5시 무렵 나에게 보낸 휴대전화 문자가 마음을 저민다. 나 때문이겠지. 내가 뭐라고 그 깊은 새벽에 글을 보내는 것인가.

그 사람은 나에게 자기 생각을 말하지 않았다. 그래서 몰랐다. 몰라서 내 마음대로 슬프고 때론 힘들었고 서운했고 조금은 원망한 적도 있었다. 몰랐다. 몰라서 그랬다. 정말 몰라서 슬프고 안타깝고 서글펐다. 그리고 더 그리웠다. 더 보고 싶었다. 주말엔 몇 배 더 그리웠고 애잔했다.

어쩌면 이번 주말에는 그 사람의 연락을 기다리지 않을 뻔했다. 기다리지 않은 만큼 더 그립고 힘겨울 뻔했다. 그 사람이 한마디라도 해 주면 좋겠다. 매일 잠시라도 그 사람의 하루 끝에 있고 싶다. 그렇게 무리한 바람일까. 무리라도 좋다. 그냥 한마디만 듣고 잠들고 싶다.

기다림은 만남을 바라는 것도 아니다. 그냥 기다린다. 보고 싶고 그립기 때문이다. 그리고 내가 할 수 있는 유일한 일이기 때문이다. 기다림이 힘들어서 걷는 것이 아니다. 걸으면서 기다린다. 그 사람이 걷는 것을 좋아하기 때문이다. 그 사람과 내가 함께 할 수 있는 일이다.

한참 걷다 보면 그 사람이 옆에 있을 때가 있다. 그냥 착각이지만 그래도 좋다. 그래서 걷는다. 착각으로라도 그 사람과 옆에 있고 싶어서이다. 그러다 보면 어느 날 현실에서 그 사람이 내 팔을 잡고 걷고 있을 때가 있다. 그래서 또 걷는다. 그 사람이 실제로 내 옆에서 함께 걸을 때까지 걸어야 한다.

내일 12시에 만나기로 했다. 그 사람도 내가 보고 싶다고 말했다. 새벽 1시, 연락이 오기엔 이젠 너무 늦은 시간이겠지. 자야겠다. 앞으로 11시간만 지나면 착각이 아닌 현실의 그 사람을 볼 수 있다. 11시간 동안은 설레며 그 사람을 그리워할 수 있다. 물론 만남 이후에는 더 슬퍼질 것이다. 그래도 그 사람이 너무 보고 싶다.

푸른 하늘만큼이나 싱그러운 그 사람이 저기 멀리서 나에게 다가온다. 착각이 아니라 현실이다. 빌딩 숲과 혼잡한 차들을 배경으로 그 사람이 사뿐히 다가온다. 내가 어제 예쁘다고 말해 주었던 티셔츠를 차려입고 나에게 다가온다. 멋쩍은 미소가 애처롭다. 살짝 웃는 눈가가 촉촉하다. 며칠 새 잠을 제대로 못 잤던 때문이겠지.

그 사람과의 식사 자리는 언제나 기분이 좋다. 학창시절 이야기, 청년기 내 첫사랑 얘기도 재미있다는 표정으로 귀 기울인다.

서툰 젓가락질도 예쁘다. 지난겨울, 힐끔힐끔 그 사람의 식사하는 모습을 아무렇지도 않은 척 혼자 애처롭게 바라보던 기억이 난다. 내 마음을 감추고 마치 아무 일 없다는 듯이 그 사람을 곁눈질로 사랑스럽게 쳐다보았었다. 언제고 당신이 나와 조금은 더 가까운 모습으로 함께 식사하는 날이 있을 거라는 혼자만의 희망을 품고 있었다.

나무처럼 그 사람을 내 그림자로 시원하고 편안하게 해 주고 싶었다. 그런데 나무는 그 사람을 따듯하게 안아줄 수도, 이야기해 줄 수도 없다. 그래서 나무가 되고 싶지 않다. 그 사람을 따듯하게 안아주고 싶다.

ㅜ

계속 몸이 무겁다. 12시 무렵까지도 잠에서 깨질 못했다. 아니 깨질 않았다. 눈을 뜨고 일어나는 순간 그 사람과의 시간이 꿈이 되어버릴 것 같았다.

일요일, 항상 그 사람의 연락이 그리웠던 시간이다. 무던히도 기다리고 기다렸었다. 심지어 야속함마저 느꼈었다. 그래도 잘 자라는 말 한마디는 해줄 수 있을 텐데 하는.

일요일 오후 그 사람과 이야기를 나누었다. 혼란스럽다는 그 사람을 따듯하게 다시 안아주고 싶었다. 그런데 나도 멍하다. 정신이 없다. 몸도 함께 무겁다. 나도 그 사람처럼 자꾸만 어제의 장면이 머리를 맴돈다. 오늘 밤도 어제 이 시간처럼 축 늘어져 천정만 쳐다보게 된다. 다 귀찮다. 그런데 그 사람이 보고 싶다. 또 보고 싶고 안아주고 싶다. 그 사람을 안고 숨을 쉬고 숨소리를 듣고 싶다.

참 많이도 그리웠었다. 지난 몇 달 동안 내 삶의 시간 사이사이에 그 사람이 녹아있다. 손에 잡히지는 않았지만, 그 사람의 무언가를 쥐고 싶을 때도 있었고 그냥 포기했던 순간들도 있었다. 그냥 그 사람이 보고 싶고 그리웠다.

하루 일에 지쳐 하늘을 잠시 쳐다볼 때나 어두운 공원길을 혼자 걸을 때도 그 사람은 내 옆에 있었다. 그리고 때로는 다른 누군가의 손을 잡고 내 앞에서 멀찍이 걸어가고 있었다. 그 사람들의 뒷모습을 멀리서 쳐다만 볼 수밖에 없었던 착각도 한 적이 있다.

ㅜ

오늘은 문득 풀냄새가 많이 그리워지는 주말의 첫날

이다. 어릴 적, 이맘때쯤이면 조그만 실개천 옆에 자리 잡고 있던 우리 집 주변 풀숲에서는 온갖 향기로운 냄새가 피어올랐다. 그것은 생명의 내음이었다.

저녁 식사를 마친 후 우연히 밖으로 나와 홀로 평평한 바위 위에 걸터앉아 있으면 귀뚜라미 울음소리, 새소리 등이 마치 경쟁이라도 하듯 들린다. 그 사이로 새어 나오는 정겨운 시골집에서의 밥 짓는 연기 내음, 그리고 싱그러운 풀 냄새, 조금 더 시간이 지나면 캄캄해진 숲에서 파란 불덩이가 여기저기서 폭죽처럼 솟아올랐다. 그것은 반딧불이였다.

동네 친구들이 약속이라도 한 듯 모여든다. 어두워서 보이지도 않은 그 길을 반딧불이의 불빛만 보고 위험천만하게 뛰어갔다. 그 조그맣고 파란 불을 바라보며 어디까지라도 좋다는 식으로 위험을 감수한 채 뛰어간다. 돌부리에 걸려 넘어지고 미끄러지고는 상관이 없었다. 무릎이 까져서 피가 나지만 아프지도 않았다.

반딧불이를 잡은 아이들은 자신이 잡은 그것을 꺼내서 모아본다. 하지만 그것은 원래의 찬란하게 빛나던 푸른 빛이 아닌 상처 입고 부러지고 꺾여 원래의 모습을 잃은 초라한 벌레이며 얼마 지나지 않아 죽어서 그

빛이 사라졌다. 빛을 잃은 반딧불이는 한낱 벌레일 뿐이었다. 사랑이란 게 그런 걸까? 어두운 곳에서 보면 찬란하지만, 막상 그것을 잡으려다 보면 상처를 주게 되고 결국은 죽고야 말아버리는.

언젠가부터 주말이면 예민해진다. 다른 일을 특별히 하는 것도 아니다. 그런데 이상하게 예민해지고 힘들다. 그 사람이 힘겹게 보낸 문자에도 나도 모르게 냉정하고 차갑게 대하게 된다. 그 사람은 내가 힘이 들까 힘겹게, 그리고 자신의 가치관과 다르게 나에게 안부 인사를 하곤 한다. 그런데 또 그 사람을 위해서 생각과 다르게 냉정한 답장을 짧게 한다.

때마침 드라마에서 주중에 만나는 사람과 주말에 만나는 사람이 있는데 주말에 만나는 사람은 많은 시간과 노력을 투자하는 사람이라고 한다.

물론 그전에 비하면 주중에 이야기라도 나누고 문자를 주고받는 것도 다행이다. 그 사람의 사적인 영역은 인정하지만, 주말이면 그 흔하던 잘 자라는 인사말조차 하지 못하는 것은 자신의 사적 영역을 침범하지 말라는 의미로 받아들여진다.

절절히 쓴 나의 고백에 그 사람은 거절하지 못해서

자신도 내가 좋다는 식의 비슷한 말을 했을 것이다.

정말 그 사람은 착하디착해서 어쩔 수 없이 나에게 다가온 것일지도 모른다.

학창 시절, 가까워지고 싶은 친구와는 자장면을 함께 먹으라는 이야기를 들었던 기억이 났다. 자장면을 입가에 묻히면서 먹으면 서로 친해진다고 들었다. 그 사람이 자장면을 먹는 모습을 유심히 보았다. 행여 입가에 뭐라도 묻으면 다정하게 닦아주고 싶었다. 그런데 그 사람은 아무것도 묻히질 않았다. 조심해서 먹은 것일까? 그렇게 그 사람은 조심스럽게 행동하고 사려 깊다.

자장면 먹는 모습조차 기품 있다. 서민 음식인 4,000원짜리 자장면이 그 사람과 함께하는 순간 고가의 호화로운 음식이 되어버린다.

그 사람의 식사하는 모습을 볼 때면 항상 신기하다. 음식을 어찌 저렇게 멋지게 먹을 수 있을까? 조선시대 사대부 집안의 여식(女息)들이 아마 저런 모습이지 않았을까?

처음 서로에 대해 몰랐던 시간을 지나 각자의 상처를 서로 내밀었던 5월. 그 상처와 아픈 것을 서로가 안아줄 수 있는지에 대한 확인의 시간이 6월이려나?

만약 마음을 진심으로 품어줄 수 있으면, 어쩌면 그 사람과의 헤어지지 않을 이유를 한 가지는 찾을 수도 있지 않을까? 정말 사랑의 대가로 치러야 할 마음속의 불편한 감정들과 우려를 서로 이해하고 받아줄 수 있을까?

내일, 정말 그 사람이 나에게 다가올까? 그러면 나는 어떤 말을 어떤 표정으로 해야만 할까? 그리고 그 사람은 나에게 어떤 말을 해줄까? 그리고 그 말이 바로 그 사람이 주말에 느꼈던 감정의 요약일까? 아까 내가 모른척해서 삐진 건 아닐까? 띄어 씌기 없이 마침표 하나만으로 끝을 낸 '안녕히 주무세요.' 한마디에 그 사람의 화난 감정을 느낄 수 있다. 그 정도가 그 사람의 화난 감정의 표현 방식이다. 난 알 수 있다. 그래서 미안하다. 그 사람의 자그마한 몸짓 하나와 단어 하나에도 마음이 설레기만 한다.

벌써 새벽 2시. 들떠서인지 잠이 잘 오지 않는다. 소풍 가기 전날 초등학생 같다. 학교에 일하러 억지로 가는 것이 아닌 그 사람을 보러 갈 수 있다. 따듯한 밥을 사 주고 싶다. 맛있게 먹는 그 사람을 또 사랑스럽게 바라보고 싶다. 멀리서가 아닌 가까이서 보고 싶다. 단 하루 아니 몇 시간만이라도.

ㅜ

스산한 자정의 바람이 풀냄새를 머금고 콧속을 스친다. 비가 온다는 예보 때문일까 물기까지 잔뜩 품은 바람이다. 어제 늦은 밤, 갑자기 오늘 낮에 만나고 싶다는 문자를 받았다. 어제도 일찍 퇴근하여 함께 식사도 하고 이야기도 오래 나누었던 터라 오늘 만날 수 있을 거란 생각을 전혀 하지 못했다.

함께 있는 시간은 언제나 빨리 흘러가 버린다. 그렇지만 그 짧은 시간에도 그 사람과의 마음을 교감하기에는 충분하다. 힘든 시간 속에서 어렵게 얻어낸 시간이라서 그런지 일분일초가 소중하다. 그 사람에게 사랑한다는 표현을 많이 해주었다. 그 사람의 표현은 조심스럽지만 가까이 있으면 그 진심이 느껴진다. 이 사람이 날 많이 좋아하고 있다는 것을.

흐릿한 미소를 띤 얼굴로 나를 쳐다보는 촉촉한 눈동자와 내 질문에 속삭이듯 수줍게 고개를 끄덕이기만 하는 몸짓에서 그 사람의 마음을 읽을 수 있다.

그 사람의 밥 먹는 모습을 사랑스럽게 바라보았고 반찬도 놓아주었다. 얼마나 예쁘고 사랑스러운지 말로 표현하기 어려울 정도였다.

그 사람의 음식 먹는 모습은 언제봐도 기분 좋다. 오물오물 씹으면서 먹는 모습이 아이 같다. 그리고 나는 그 모습을 사랑스러운 눈으로 애틋하게 바라본다.

내가 좋아하는 검은색 티셔츠에 청바지를 입고, 헐레벌떡 나를 만나기 위해 여기까지 와준 그 사람. 그 사람을 위해 어떤 것을 해줄 수 있을까?

이 사람을 계속 붙잡을 수 있을까? 이 사람도 내 곁에 계속 함께 있어 줄 수 있을까? 이 사람과 가끔이라도 이렇게 식사를 함께할 수는 있을까? 이 사람에게 사랑한다고 계속 이야기해 줄 수 있을까? 이 끝없이 반복된 질문의 대답은 무엇일까?

이 사람을 만나게 되면 지금까지 내가 무슨 생각을 했었는지를 모두 잊게 된다. 배시시 웃는 옅은 미소에 내 마음속 잡념들이 모두 날아가 버리고 사랑이라는 이름만 남아 버린다. 어렵게 그 사람에게 편지를 보냈다.

이름을 불러주는 게 좋다고 했지? 나도 좋아. 그만큼 가까워졌다는 의미겠지?

어제, 오늘 저녁 두 번이나 밥을 함께 했네? 월요일도 얘기 많이 나누고. 수요일밖에 안 되었는데 벌써 두 번이나 함께 식사를 하다니.

내가 차린 음식은 아니지만 네가 내 앞에서 밥을 맛있게 먹는 모습이 너무 예쁘더라. 오물오물 입 모양이 너무 귀엽고 사랑스럽더라. 오늘 김밥으로 장난쳐서 깜짝 놀랐지?

항상 무겁게 너에게 내 마음을 표현했었는데 오늘은 좀 다르게 다정하게 얘기하고 싶네?

사실 나 밤에 너 많이 기다려. 네가 연락이 없을 때는 더 기다리는 게 사실이야. 하지만 네가 신경을 쓸까봐 아까 차에서도 마음대로 하라고 말했어. 근데 기다린다고 말하기보다는 그냥 네가 더 보고 싶고 그립다고 말해 주고 싶어. 그냥 그런 날이라고

오늘 점심시간에 멀찍이서 너의 모습을 바라보았어. 눈이 나빠 멀리 있는 게 잘 안 보이는데 이상하게 네 모습이 너무 잘 보이더라. 잘룩한 허리와 기다란 네 팔다리가 너무 우아하고 멋있고 사랑스러웠어. 뛰어가 안아주고 싶더라. 그래, 넌 나에게 그런 사람이야. 언제나 내 눈에는 멀리 있어도 뚜렷하게 보이고 안아주고 싶은 사람.

네가 멀리서 나한테 걸어오고 있는 모습이 너무 예뻤어.

내가 가는 게 아니라 네가 나한테 오는 거잖아. 그것도 너무 아름다운 모습으로 날 보기 위해서 나에게 오는 거잖아.

당신~

나 너를 너무 좋아해. 밤에만 기다리고 그리운 것이 아니라 그냥 매 순간순간 네가 그립고 보고 싶고, 이야기하고 싶고 손길 주고 싶어. 지금도 그렇고.

널 그리워하고 함께했던 시간 들이 너무나 좋아. 때로는 힘든 것도 사실이었지만 그건 우리 현실이 힘들게 느껴졌던 거지 네가 힘들었던 건 아니야. 너도 그런 게 힘들었던 거잖아. 우리 사이에 놓인 여러 현실. 어차피 우리 힘으로는 어쩔 수 없는 것들.

그런데 그런 것들로 너를 놓고 싶지는 않고 오히려 네가 더 사랑스러워. 네가 그 현실 사이사이에서 날 찾는 모습을 보면 더 애처롭고 예쁘게만 느껴져.

휴대전화 화면에 네 이름이 뜨면 마음이 설레고 너무나 반가워. 너도 그렇지?

어릴 적 보았던 어느 시 구절이 생각나네? 다섯 손가락 끝을 잘라 핏물 오선을 그려 혼자라도 외롭지 않을 밤에 울어 보리라.

울어서 멍든 눈흘김으로 미워서 미워지도록 사랑하리라...

조금은 무서울 수도 있지만 누군가를 사모하는 마음이 잘 나타나 있지? 그만큼 나도 널 사모하고 좋아해.

이상하게도 오늘은 너에게 이 말을 꼭 해주고 싶네?

많이 보고 싶고 그리워. 아주 많이.

아까 잠시 눈을 붙였더니 아직 잠이 잘 안 오네? 내일 아침이면 또 당신의 예쁜 모습을 볼 수 있겠지?

아내와는 같은 해 12월 결혼에 이르렀다. 그리고 10년 후, 아무 말도 없이 연우를 남겨둔 채, 내 곁을 떠나버렸다. 난 많이도 아팠다.

제 4화

그런 것처럼, 아닌 것처럼

요즘은 수면 장애가 더 심해졌다. 어렵사리 시간을 내서 수면 클리닉 프로그램이 있는 병원을 찾았다.

공황장애는 이제 익숙해져 불편한지도 잘 모를 정도이다. 순간적으로 손이 떨리고 불안감은 극에 달한다. 처음에는 너무나 힘들었지만, 그것도 차츰 횟수가 늘어날수록 조금씩은 적응이 되는 것 같다.

의사는 질문으로 진단하는 듯했다.

"증상이 어떠세요? 불편하신가요? 수면 장애는 여러 가지 원인이 있어요. 사람마다 다양한 증상이 나타납니다. 잠을 자고 난 후에도 계속 피곤하신가요?"

의사의 질문이 한꺼번에 물밀듯이 날아온다.

"네, 잠을 자기 전보다 오히려 더 피곤할 때도 있습니다.

"수면 장애 자체는 우리 인구의 20% 정도가 경험하는 흔한 증상입니다. 선생님의 경우는 렘수면과 비(非)렘수면이 모두 제대로 이루어지지 않는 것으로 보이네요.

특히 렘수면은 기억과 지적 기능을 회복시켜 주는 역할을 하는데, 최근에 그런 경험을 하지 않으셨나요? 기억이 잘 나지 않다거나 업무를 하는 데 불편하셨거나 하는 경우 말입니다."

기다렸다는 듯이 내 증상을 의사에게 더 자세히 설명했다. 비단 최근의 일만은 아니다.

"기억이 잘 나지 않는 경우가 가끔 있습니다. 사실 알츠하이머 초기 증상이라는 진단을 받기도 했습니다."

"일단, 렘수면에서 곤란을 겪는 것으로 보이네요."

의사는 나름 자세히 수면 장애의 증상에 대하여 설명해 주었다.

"기억장애의 가장 중요한 원인은 스트레스입니다. 약물 장기 복용도 원인이 될 수도 있고요, 복합적이기 때문에 정확히 어떤 것이 원인이라고 단정할 수는 없습니다."

의사는 말을 이어갔다.

"수면 장애가 계속되면 기면증(嗜眠症)이나 야경증[8]으로 나타날 수도 있어요."

처음 듣는 증상의 이름이었다. 궁금한 표정을 지으며 되물었다.

"야경증이요?"

"네, 잠든 지 채 한 시간도 못 돼서 공포감을 느끼며 깨는 증상이요."

"가끔 그런 적이 있어요. 그냥 잠을 못 이루는 거라고만 생각했었는데."

"그럼, 수면 장애가 약간 심한 경우로 보입니다. 잘

---

8) 야경증(夜驚症, Night terrors)은 비렘(NREM) 수면 각성 장애 중 하나로, 비렘수면기 중 수면 초반 1/3 앞쪽에서 가장 흔하며, 주로 소아에서 갑자기 잠에서 깨어 비명을 지르며 공황 상태를 보이는 질환이다(네이버 지식백과).

못하면 행동장애라고 해서 옆에 자는 사람을 때리거나 갑자기 일어나서 돌아다니다가 다치는 경우까지 생길 수도 있습니다."

의사들은 항상 최악의 상태까지 설명해 준다. 마치 지금 바로 치료하지 않으면 곧 어떻게 될 것 같은 위협을 하곤 한다. 물론 의학적으로 의견을 말하는 것이지만.

의사는 낮잠은 되도록 피하며 규칙적인 운동을 할 것과 커피나 술을 삼가라는 교과서적인 처방을 내놓았다. 혼자 말로 비아냥거렸다.

'그렇게 쉽게 나아질 거면 내가 이러고 힘들게 살고 있겠어요?'

히포크라테스가 남긴 명언이 생각났다.

'가장 좋은 건강의 비결은 발은 따뜻하게 하고 머리는 차갑게 하는 것이다.' 그리고 동양 의학의 아버지라 불리던 중국, 전국시대의 명의인 편작(扁鵲) 또한 '건강해지려면 머리는 차갑게, 발은 뜨겁게, 위장은 가득 채우지 말라(頭寒足熱腹不滿)'고 말했다.

어찌 보면 뻔하게 들리는 명의들의 건강 비결은 건강을 잃고 힘겨워하는 사람들이 듣게 되면 어이없음이 느껴질 거로 생각했다. 그렇게 쉬운 일이라면 왜 질병들로 인하여 그토록 많은 사람이 죽어가야만 했을까? 혼자만의 의문에 빠졌다. 그리고 내가 처한 증상들이 결코 쉽게 나아지기 어렵다는 사실 또한 자각하기에 이르렀다.

특히, 커피를 마시지 말라는 말이 마음에 걸렸다. 그럼 어떻게 생활하라는 건지.

결국, 의사는 약간의 수면제를 처방해 주었다.

그때까지 의사의 잔소리 아닌 잔소리를 지겹도록 들어야 했다. 30여 분 동안 계속된 상담의 결론은 수면제 처방이다.

사실 수면제를 먹은 적은 이미 많다. 처음에는 도움이 되곤 했지만, 시간이 지날수록 별 효과를 거두지는 못했다. 죽어야 잠을 실컷 잘 수 있는 것일까? 살아있는 동안은 편하게 잠자는 것을 포기하고 지내야 하지 않을까? 하는 생각을 했다. 자꾸 자려고 하면 더 잠이 오지 않는다. 어린아이들처럼 '양 백 마리'를 되뇔 수도 없는 지경이다. 나로서는 쉽지 않은 일이다.

〒

직장동료와의 트러블은 언제나 피곤하며 짜증나고 신경이 많이 쓰인다. 심할 때는 일주일까지 안 좋은 기분이 지속된다. 불안과 화(禍)의 게이지는 최대치가 된다. '왜 포용적이지 못할까?'라는 자괴감보다는 그냥 화를 주체하지 못하는 내 성향이 싫을 때도 있었다.

사람과의 관계에 대해서 고민해 보았다. 다른 사람들은 어떤지 궁금했기 때문이다.

어느 영화의 "넌 내게 모욕감을 줬어."라는 명대사가 생각났다. 영화 속에서는 결국 그 모욕감 때문에 살인까지 저지르게 된다. 그만큼 모욕감은 당사자로 하여금 엄청난 데미지를 주는 감정이다.

대인관계에서 상처받고 배척당했을 때는 관계 회복을 위해 애써야 할 것이다. 상대방에게 어떤 식으로든 호감을 사려고 노력해야 인간관계를 잘 이어 나가는 데 도움이 되기 때문이다. 그런데 인간에게는 이럴 때 오히려 정반대로 더 공격적이고 이기적으로 굴게 되는 특이한 구석이 있다고 한다. 마치 "나에게 상처 줬으니 난 더 비뚤어지겠다."라는 식이다.

이 '삐딱선'을 타는 마음은 사람들과 연결되고 싶고, 소속되고 싶은 욕구가 좌절됐을 때 느끼는 불쾌한 감정이 너무 크기 때문일 것이다. 그런데 계속해서 공격적이고 반사회적으로 사람을 대하면, 사람들에게 선택받을 기회는 더 줄어든다. 소외가 또 다른 소외를 낳는 결과로 이어지게 되는 것이다. 사람들은 공격적인 사람과는 이야기를 나누길 꺼려하기 때문이다. 차츰 더 고립되어 갈 것이 뻔하다.

나는 자칭 염세주의자라 칭했다. 염세주의의 대표적인 철학자는 바로 쇼펜하우어이다.

염세주의(厭世主義)는 비관주의(悲觀主義) 또는 페시미즘(pessimism)이라고도 하며, 세계는 원래 불합리하여 비애로 가득 찬 곳으로서 행복이나 희열도 덧없는 일시적인 것에 불과하다고 보는 세계관이다.

쇼펜하우어는 1851년 발표한 저서 '소품과 부록'에서 인간관계의 특징을 고슴도치에 비유했다. 그는 책에서 "사회의 필요가 '인간 고슴도치들'을 함께 몰아가지만, 그들 본성의 까칠하고 불쾌한 특성 때문에 서로 반발할 뿐"이라고 말했다. 친밀감에 대한 욕구와 상처받지 않고 싶은 욕구가 양립할 수 없다는 의미에서 이를 '고슴도치의 딜레마'라고 한다. 그리고 "고슴도치들이 안전거리를 유지하면서 머리만 맞대 가시에 찔리지 않고 적당한 온기를 나눌 뿐."이라고 부연했다. 가시가 무서워 추위에 얼어 죽지 않을 정도만 서로에게 가까이 간다는 것이다.

쇼펜하우어는 인생을 아주 냉정하게 바라보면서 '인생은 고통이다'라고 말했다. 애초에 인간의 끝없는 욕망을 충족시키는 것이 불가능하기 때문에, 욕망덩어리인 인간은 태어나면서부터 불행할 수밖에 없다. 욕망을 이기는 힘은 '의지'인데 안타깝게도 의지는 늘 우리 자신을 배반한다. 그래서 쇼펜하우어는 고통이야말로 삶의 본래 모습이며, 쾌락이나 행복은 고통이 없어졌을 때 잠깐 찾아오는 일시적인 것이라고 진단했다. 인생은 그렇다. 안타깝다.

아침부터 학교가 어수선하다. 총장 선출 문제로 교수들 사이에서도 파벌이 형성되고 대립하는 모습이 보인다. 같은 학과의 교수들 내에서도 서로 언성이 높아질 때가 자주 있었다.

요즘에는 특히 더하다. 교수들 사이 논쟁이 극에 달했다. 평소에는 지식인 척 말투 하나에도 신경 쓰면서 자신과 관련된 문제에 대하여는 완전히 다른 사람이 된다. 무대 앞의 배우와 무대 뒤 배우의 모습이 딴판인 것과 흡사하다. 지난번 김 교수의 일과 같은 일이 부지기수로 생겨난다. 같은 편, 다른 편 상관없이 논쟁은 시와 때를 상관없이 발생한다.

인간은 자신에게 이익이 되는 일에는 거의 미친 듯이 반응한다. 양보하는 법이 없다. 양보는 곧 패배를 의미하기 때문이다. 분노와 화가 담겨 있는 격앙된 목소리는 듣는 것만으로도 스트레스이다. 페르소나가 모든 인간에게 적용되는 것은 알고 있었지만, 막상 그 가면(假面)속의 실체를 보면, "그래도 지성인이라 인정받는 대학교수인데 일반 사람과는 조금은 구별되는 정도여야 하지 않을까?" 하는 생각이 든다. 하긴 인간은 모두 그렇게 비슷하게 사는 것이지, 학과장이라고 해서 특별한 무엇을 바라는 것도 무리이기는 하다.

학과장이 나를 불렀다.

"조 교수, 조 교수는 어떻게 생각해요?"

"어떤 거 말씀이신지…"

"이번 총장 선출 건 말이에요. A 교수가 선출되어야 하지 않을까요?"

"아직은 깊이 생각해 보지 못했습니다."

"A 교수님이 우리 대학 선배님이기도 하시고 여러모로 인품이나 능력이 되시지 않나요?"

"네, 물론 그러시지요."

학과장은 A 교수에 대하여 열심히 홍보했다. 사실 나도 이 학교에 임용되었을 때 이 학과장의 도움을 받았을지도 모른다. 같은 학교 출신이라는 학연은 우리 사회의 많은 분야에서 가장 중요하게 인식되어 온 것이 사실이다. 대학도 예외가 될 수는 없을 것이다.

그렇게 보면 난 당연히 A 교수가 총장이 되는데 찬성의 입장이어야 한다. 하지만 A 교수의 총장 임용에 절대적으로 동의하지는 않았다.

"오늘 저녁때 학과 교수들 모임 있는데 오실 수 있지요?"

"네, 그렇게 하겠습니다."

그렇게 대답하고 연구실로 와서 곰곰이 생각해 보았다. 그냥 학연에 근거해서 '좋은 게 좋은 거'라는 안이한 생각으로 학과장의 추천을 따를 것인지 아니면 나름대로 기준을 갖고 판단할 것인가에 대한 고민이었다.

저녁 식사 자리는 학교 인근의 조그만 횟집이었다. 그런데 우리 학과 교수들이 아니었다. 조금 후 이 모임의 성격을 알게 되었다.

A 교수를 총장으로 선출하는 데 동의하는 교수들이 모여 이야기를 나누는 자리였다. 쉽게 말해 총장으로 추대하는 자리였다. 의도치 않게 이미 A 교수를 총장으로 선출하는 데 동의를 한 것이 되고 말았다. 물론 A 교수도 참석했다.

결속을 다지는 이야기와 경쟁상대 교수에 대하여 주로 네가티브한 자료나 정보가 공유되었다. 다른 총장 후보 교수들의 약점이나 알려지지 않은 비리, 심지어 사생활 등에 대한 정보들이 수없이 오고 갔다.

'언제 저렇게 자료를 많이 찾았을까? 연구하기도 바쁜 시간일 텐데'

혼자 그런 생각을 하며 말없이 앉아 있었다. 사실 불편했다. 다른 사람을 떨어뜨려야 내가 이길 수 있다는 것은 경쟁에서의 진리지만 항상 그런 것이 불편하고 체질에 맞지도 않았다.

그런데 다른 교수들이 모두 나와 같은 체질은 아닌 듯했다. 김 교수는 갑자기 발언권을 얻더니 자신의 견해를 거침없이 이야기했다. 김 교수는 평소 성격이 온화한 독실한 기독교 신자이다. 나와는 비슷한 연배라

친하게 지내는 사이이다. 항상 합리적이고 논리적이면서도 연구 활동에 매진하는 전도유망한 교수이다.

"저는 사실 이런 모임은 정당하지 않다고 생각합니다."

김 교수는 당당하게, 그리고 거침없이 자신의 의견을 이야기했다.

"모임 자체야 그렇다 치고, 다른 교수의 약점이나 억지 스캔들을 캐서 물고 늘어지는 것은 좀 아니라고 생각합니다."

A 교수 이하 모든 교수들은 눈이 휘둥그레져서 김 교수를 응시했다.

"자네, 하고 싶은 말이 뭔가?"

연배가 있는 어느 교수가 언짢은 듯 물었다.

"선거에서 자신이 지지하는 후보를 위해 단합을 하는 것은 민주주의에서 당연한 일입니다. 하지만 상대편 후보에 대한 네가티브는 그다지 바람직해 보이지는 않습니다."

"특히 조그만 사실을 부풀려서 확대하거나 심지어는 없는 비리조차 만들어서 공격하는 일까지 벌어집니다. 그게 올바른 절차는 아닙니다."

“그럼, 상대방이 우리 쪽 후보에 대하여 그런 식으로 공격하는 것은 어떻게 방어하나? 그냥 당하고 있으라는 건가?”

다른 교수는 김 교수의 의견에 반박하면서 대안을 제시할 것을 요구했다.

“그럼, 뻔히 선거에서 지는데 알면서도 페어플레이 하자고 그냥 있으라는 건가? 상대방이 페어플레이를 해야 우리도 같이하는 거지”

“다음부터는 대안 없이 주장만 내세우지 말게.”

대부분의 원로 교수들이 김 교수에 대하여 집중적으로 성토했다.

“어찌 됐든 저는 이런 식의 절차는 따를 수 없습니다. ”

김 교수는 자리를 박차고 나갔다. 일순간 모임의 분위기는 찬물을 끼얹은 듯 조용해졌다.

자신이 속한 조직에서 환영받지 못하는 성향의 개인은 항상 손해를 보기 마련이다. 김 교수는 손익을 따지기에 앞서 자신의 신념을 내세우는 것이 더 중요하다고 판단했을 것이다. 현실과 적당히 타협하여 편안한 삶을 택하는 것보다 훨씬 가치 있다고 생각한 듯했다.

일견 부러운 생각도 들었다. 저렇게 자신의 주장과

신념을 거침없이 토해내고 행동하는 일이 쉬운 것은 아닐 텐데. 그것이 무조건 옳은 행동이라 생각해서 부러운 것은 아니었다. 당당하게 자신을 표현하는 행위가 부러웠다. 생각과 신념을 겉으로 잘 드러내지 않는다. 물론 겉으로 표출하지 않는다고 해서 신념이 없는 것은 아니다. 하지만 지금까지 그렇게 살아왔다. 나 자신의 삶을 영위하기도 버겁다는 이유를 스스로 갖다 붙이면서 군중 속에 머물러 있었다.

지금의 나와는 사뭇 달랐던 중학교 시절의 기억이 아스라이 떠올랐다.

서울에서의 중학교 생활. 나름대로 열심히 생활했다. 서울 아이들은 시골에서 전학을 온 촌놈을 무시하는 것은 당연한 일일 터이다. 가뜩이나 누군가를 놀리는 재미로 학교로 오는 아이들이 있다. 시골에서 온 남학생은 조금만 약해 보여도 그들의 먹잇감이 되기 십상이다.

"야! 너 어디 시골에서 전학을 왔어?"

"공부 잘해? 싸움은 잘해? 축구는 어느 정도 해?"

쉬는 시간이면 내 주위에 몰려서 온갖 질문을 던져댄다. 정신이 없다. 간을 보는 것이다.

따돌림이나 괴롭힘까지는 아니지만 그렇다고 해서 자신들과 동일한 사람이라고는 생각하지 않았다.

그럭저럭 2학기를 마치고 배정받은 중학교.

중학교 진학을 하니까 시골에서 전학을 왔던 일이 물타기 되었다. 그때부터 공부에 매달렸다. 넉넉하지 않은 집안 형편, 장손. 게다가 장남. 이런저런 여건은 나에게 당시 계급의 사다리로 불렸던 명문대 진학이라는 인생의 목표를 자연스럽게 설정하도록 만들었다.

부모님들께서 서울의 전셋집을 무리하게 마련하셨고 군인이셨던 아버지의 월급은 그 전세금 대출을 감당하기에도 벅찼다.

어머니께서는 최대한 살림을 줄이셨고 나와 동생도 검소하게 생활했다. 아니 쓸 용돈이 없었다. 그나마 아버지 덕분에 학교에서 등록금은 면제받을 수 있었다.

참고서는 동네 시장의 헌책방을 뒤져 간신히 몇 권을 사고 다른 친구들에게 빌리거나 교환하면서 공부했다. 그것도 2학년이 되어서야 가능했던 일이다.

1학년 1학기 중간고사.

쉬는 시간에 사립학교 나온 친구들끼리 무언가를 돌려보고 있었다. 전년도 기출 시험지였다. 지나가다 곁눈으로 살짝 보았다. 별다른 생각 없이 시험이 시작되었다.

"이게 뭐지!"

순간 놀랐다. 아까 보았던 시험지의 문제가 토시 하나 안 틀리고 출제되어 있었다. 그 시험지를 한 번만 봤으면 공부를 거의 하지 않아도 높은 점수를 당연히 받을 수 있을 정도였다. 어이없었다. 교과서와 노트만 죽어라 외었는데 거기에 나오지 않은 내용은 당연히 맞힐 수가 없었다.

내가 아무리 열심히 공부해도 맞출 수 없는 문제들. 그러나 그들은 그런 식으로 손쉽게 점수를 받았다. 게다가 참고서의 문제들도 몇몇 섞여 있었다. 내가 노력으로 받을 수 있는 점수는 한계가 있었다. 아니 아무리 노력해도 절대 고득점을 받을 수 없는 상황이었다.

그들은 그렇게 경제적 카르텔과 학연을 형성하고 자신들만의 이익을 손쉽게 획득했다. 그리고 학급의 임원. 학부모회 임원의 대부분을 독차지했다. 내 이름은 일 년이 지나도 모르고 지내던 선생님들은 그 학생들의 이름은 어느새 줄줄 외우고 수업 시간마다 아는체하며 열심히 하라는 칭찬 격려를 쏟아내셨다.

나와 공립초등학교를 나온 몇몇 친구들은 겉으로 표현은 하지 않았지만 아마도 나와 같은 마음이었을 것이다.

'저 녀석들보다 더 잘해야지.'

그런데 약 한 달 동안 우리 반으로 오신 교생 선생님은 다른 선생님들과는 사뭇 달랐다. 물론 내가 사립학교 출신인지 공부를 어느 정도 하는지 전혀 모르시는 상태였을 것이다.

종례 시간에 선생님께서는 우리에게 묻고 싶거나 하고 싶은 이야기가 있으면 자기에게 편지를 쓰라고 하셨다. 그날 밤, 편지를 써서 다음날 드렸다. 중학교 1학년이 편지를 써봐야 얼마나 쓰겠는가.

교생 선생님께서는 며칠 후,

"동우! 이리 나와봐." 하면서 편지를 건네주셨다.

학창 시절을 잘 보내라는 격려의 편지였다. 하얀색의 편지지에 만년필로 정성 들여 쓴 정자체의 글은 난생처음 대학생 남자, 게다가 선생님의 글을 본 나에게 감동을 주기에 충분했다. 다른 친구들은 부러워했다. 편지를 쓴 사람은 나 혼자뿐이었다. 아이들은 그제야 막 편지를 써대기 시작했다. 선생님들께 한 번도 관심을 받지도 못했고, 나에게 격려는커녕 1년이 한 학기가 다 가도록 이름도 몰랐던 사람들이다. 처음으로 선생님에게 인정 비슷한 것을 받아본 경험이었다.

이를 악물고 공부했다. 주요 과목의 참고서는 헌책으로라도 사고 기타 과목은 몇몇 친구들과 나눠 구입하여 서로 돌려보면서 공부했다.

2학기 중간고사가 끝난 어느 날 음악 시간. 담임선생님께서는 내 이름을 부르시며 일어서라고 하셨다.

"이번에 동우가 우리 반에서 일 등이다."

다른 친구들은 놀라거나 약간 어이없는 표정들도 보였다. 선생님의 말씀에 사립학교 출신 아이들이 내키지 않는 박수를 억지로 치는 것도 눈에 띄었다.

뿌듯했다. 일등을 해서가 아니라 그놈들을 이겨서 가슴이 벅찼다.

그 후로 시험을 볼 때면 쉬는 시간에 그 아이들이 나에게 정답을 물어보았다.

"너 몇 번 썼어? 이게 맞아?"

"야 동우가 3번 썼대. 3번이 정답이야."

대략 이런 종류다. 그리고 조금 더 적극적인 친구는

"야! 공부 하루에 몇 시간씩 해?", "참고서는 어디

출판사 거 봐?"

뭔지 모를 승리감, 성취감을 느꼈다. 그것은 아마 '공정'의 승리일 것이다.

'정당하고 공정한 조건이라면 너희들보다 잘할 수 있어. 난 겁나지 않아. 언제든 이길 자신 있어.'

하지만 중학교 졸업식 때 사회는 절대 공정하지 못하다는 것을 여지없이 깨달았다.

졸업식장에서 우등상 대표가 1등인 내가 아닌, 2등인 다른 친구가 받았다. 그 아이의 어머니는 학부모회 회장이었다. 난 개근상 대표를 받았다. 어이없었고 억울했다. 결국 노력으로도 이루지 못하는 것이 있다는 사실을 확신한 채 졸업식을 마쳐야 했다.

열심히 노력만 하면 경제적으로 잘난 인간들을 꺾을 수 있을 것이라는 나름의 신념은 다시 '불가능'이라는 확신으로 내 머리에 각인되어 버렸다.

설마 하던 상상은 현실이 되었다. 자기들끼리 쑥덕대던 대표상장 수상이 내가 아닌 다른 아이라는 이야기들이 사실이었다. 벌써 아이들도 이미 알만큼 그런 정보는 쉽게 공유되고 있었던 것이었다.

철이 조금들 무렵 처음 느꼈던 좌절과 교훈이었다.

우리 사회에 아직 눈에 보이지 않는 계급이 있다는 것. 그리고 그 계급에 따라 받을 수 있는 사회적 대우가 결정된다는 것이다.

난 역사학자로서 조선왕조를 우리나라 역대왕조 중 가장 부정적으로 생각한다. 그 중요한 이유는 바로 조선이 신분사회, 남존여비, 가부장적 사회라는 점이다. 조선시대 500년을 통해 노비가 관직에 오른 건 장영실이 유일하다. 그것도 특별한 왕이라 할 수 있는 세종 때, 그나마 수많은 반대를 거쳐내고서야 가능했다. 여성이 위인으로 꼽히는 것은 신사임당이 거의 유일하다. 그것도 신사임당 자신이 아닌 율곡의 모친으로서 역할 때문이다.

조선은 유교라는 테두리에 갇혀 부국강병을 이루지 못했다. 유교 정신은 계급사회의 뿌리가 되었고 그 뿌리는 능력 위주의 사회를 가로막는 초석 아닌 초석이 되었다. 강국의 눈치를 보기에도 바빴으나, 정작 외침에서는 그 강대국의 도움은 별로 받지 못했다.

끊임없는 외침과 당쟁에 국가 발전은 도외시 될 수 밖에 없었다. 겨우 간간이 나타나는 '나라 구한 영웅'이라 일컬어지는 몇몇 위인들에 의해 간신히 명맥만 유지될 뿐이었다. 500년이라는 긴 세월 그나마 살아남을 수 있었던 것도 손꼽히는 그 몇몇 위인들 덕분일 것이다. 그렇게 생각한다. 그만큼 계급과 불공정은 사회의 악(惡)이다.

우스갯소리가 있다. 퀴리 부인, 아인슈타인, 에디슨이 우리나라에 태어났으면 그냥 평범한 사람에 그쳤을 것이라는 이야기이다. 그 이유는 퀴리 부인은 여자라서, 아인슈타인은 명문대 출신이 아니라서, 에디슨은 초졸이라는 스펙 때문이라고 한다.

중학교 때 절실히 깨달았다. 사는 게 쉽지 않다는 것을. 이는 지금까지도 내가 페시미즘을 머금게 되는 결정적인 원인 중 하나였다.

혹시나 교수 임용, 총장 선출의 과정이 내가 겪었던 일들과 흡사하지 않았으면 하는 마음을 가졌다. 그리고 혹시나 모를 불공정에 대항하는 김 교수의 모습이 왠지 나를 부끄럽게 했다.

그 일이 있고 나서의 주말, 김 교수와 함께 둘레길을 걸었다. 김 교수와는 우리 역사학과 내에서 가장 절친한 사이다. 나보다 한 살이 많지만, 우리는 친구처럼 지냈다. 김 교수와 사적인 자리에서는 형이라 부를 정도였다. 이렇게 가끔 주말이면 등산이나 낚시를 함께 하곤 한다. 취미생활도 비슷해서 더 이야깃거리가 많다. 전부는 아닐지언정 최소한 학교에서의 일에 대하여 속마음을 털어놓을 수 있는 사이라고 생각한다.

지난번 있었던 총장 선출 관련 모임에 관하여 물었다.

"형은 정확히 어떤 생각이세요?"

"나야 뭐, 당연히 우리가 모시는 분이 총장이 되면 좋지. 그렇지만 그런 방식은 동조할 수 없어. 그건 아닌거 같아."

"형의 생각을 존중하긴 하지만 그래도 그 자리에 계신 분들은 어떻게 보면 우리 편인 건데, 조금만 참지 그랬어요."

"글쎄 조교수 말이 맞기는 하는데, 그렇게 잘 안되더라고."

"그때 형이 멋있긴 했었고 내가 조금 부끄러울 정도였었거든요."

김 교수는 타이르듯 말해 주었다.

"부끄럽고 멋있을 게 뭐가 있어? 다 자기 신념대로 사는 거지. 신경 쓸 필요 없어."

나도 나지만 이 형도 자기 신념이 강하다고 생각했다. 사실 이 형은 그전에도 그런 방식으로 행동했던 일이 몇 번 있다. 그때마다 자신에게 보이지 않는 불이익이 돌아온다는 것도 알고 있을 것이다. 하지만 자신의 방식을 수정할 생각은 전혀 없는 듯했다. 고집이라면 고집이고, 신념이라면 신념일 것이다. 뭐가 됐건 자신의 가치관과 판단을 끝까지 옹호하며 그로 인한 불이익은 무엇이든 감수할 각오가 되어 있는 사람 같았다.

아마 이번 일도 연배 있는 교수들 사이에서는 김 교수에 대한 부정적인 이야기들이 오고 갈 것이다. 우리 사회에 만연해 있는 '암묵적 동조'의 현상은 대학이건 어느 사회건 아직은 없어지기는 이른 것 같다.

둘레길 산행을 마치고 김 교수와 막걸리를 한잔 마셨다. 고된 산행 뒤, 마시는 약간의 막걸리는 국룰이다. 피로를 풀어주기도 하고 산행을 마무리하는 어떤 절차와도 같다.

"대학 때 학생운동도 많이 참여했었어."

"그때도 지금 같았지. 물론 함께 참여한 친구들은 나를 지지했지만, 그 외 대다수의 동료들은 곱지 않은 시선을 보냈어. 그래도 상관하지 않았어. 잘못된 것을 바로잡으려는 모습은 대학생이면 당연히 해야 할 일이라고 생각했거든. 덕분에 부모님 속도 꽤 썩여드렸지. 허허!"

"그래도 그런 일들이 다 도움이 되지 않을까요? 특히 우리처럼 역사 공부하는 사람들은."

난 간접적으로 김 교수에게 동조했다.

"그렇지, 역사도 어찌 보면 항쟁의 연속이니까. 특히 우리나라는 외침을 많이 겪었으니까 역사의 대부분이 전쟁으로 점철되었으니. 여기 철원도 그런 곳이잖아. 어떤 왕조의 역사건 전쟁으로 시작해서 전쟁으로 끝나는 것이 대부분이지. 다른 나라들도 마찬가지고."

"그렇지요, 중세 유럽도 마찬가지고 우리 동북아시아도 여러 나라들이 서로 전쟁하면서 하나의 왕조가 생겼다 사라지고 하니까요. 전쟁은 역사의 대부분을 차지하지요. 역사 드라마도 거의 전쟁 이야기잖아요?"

갑자기 술자리가 역사 토론의 장이 되어버렸다. 그래도 이렇게 편하게 이야기를 나눌 수 있다는 사실이 좋았다.

나이가 들수록 새로운 친구를 사귄다는 일이 쉽지 않다. 지금 나이의 친구들은 대부분 어렸을 때 사귀던 친구들이다. 사회에 나와서 마음에 맞는 친구와 속을 털어놓는 일이 쉬운 일은 아니다. 사회에서는 무언가를 따져야 하고, 말도 조심해서 해야 한다. 한마디로 믿을 수가 없는 사람들이다. 최소한 10년 이상은 그 사람과 교류해야 한다. 그렇게 해도 김 교수처럼 못 보던 새로운 모습을 발견하게 된다. 어른이 되어서 친구를 만드는 일은 그래서 어렵다. 그리고 그 어려운 일을 굳이 하려는 노력도 잘 안 하게 된다.

ㅜ

일에 지친 날은 말 한마디 뱉기 힘들 만큼 녹초가 된다. 머릿속은 낮에 강의 때 했던 말들이 빙빙 맴돌다 다시 회오리가 되어 나를 때린다.

목요일이 그런 날이다. 말하는 것이 제일 힘든 노동이다. 책을 보고 논문을 정리하는 일이야말로 일이라고 생각이 들지도 않을 만큼 오히려 기분 좋다. 하지만 강의는 다르다. 학생들에게 기를 나누어주고 나누어 받는 느낌이다.

오전, 오후 연속 강의는 그래서 더더욱 지친다. 점심

을 든든히 먹어도, 커피를 아무리 마셔도, 강의가 끝날 무렵이면 내 몸의 그 무언가가 다 빠져나가 펑크 난 타이어처럼 몸이 축 늘어진다.

오늘 강의에서는 철원 지역의 역사에 대하여 학생들과 이야기를 나누었다. 특히 철원평야를 중심으로 한 궁예, 왕건의 이야기는 학생들의 많은 관심과 질의가 활발히 이루어지는 생동감 있는 시간이었다. 의외로 학생들은 철원 지역에 관심이 있었다. 대부분 학생이 다른 지역에 거주하지만, 인근에 철원이 있어서인지 유독 많은 질문과 의견을 표했다.

"궁예 도성은 현재 비무장지대 내에 사각형 모양으로 그 위치를 추정하고 있어요. 남북한 모두 출입이 불가능하지요. 게다가 궁예도성 터는 가로로는 군사분계선이 거의 절반씩 가르고 있고 세로로는 경원선 열차가 그 가운데로 뚫고 지나갑니다. 공교롭게도 우리나라의 분단 현실과도 이어지게 됩니다."

학생들은 흥미를 느낀 듯 이런저런 질문을 해댔다.

"왜 궁예는 철원 지역을 도읍지로 했을까요?"

학생들의 눈이 반짝거렸다.

“여러분들 생각은 어떻습니까? 지난봄 현지답사 때 철원평야를 봤지요? 그 너른 평야가 도읍을 정하는 데 많은 역할을 했겠지요. 그런데 땅만 넓다고 해서 좋은 것은 아닙니다. 땅을 기름지고 비옥하게 하는 강을 끼어야 하겠지요. 그것이 한탄강입니다.”

특히 철원 지역의 역사에 대하여 더 자세히 이야기해 주었다.

“철원 주변에 가 보면 식당이나 가게 이름에 ‘태봉’, ‘궁예’가 들어간 간판이 많이 보입니다. 다음에는 철원 주변의 길을 다닐 때 잘 살펴보세요. 한낱 식당 이름에 불과할 수도 있지만 지명이나 어떤 명칭들은 대부분 어떤 유래가 담겨 있지요. 이곳도 마찬가지입니다.”

예를 들어 설명하니 학생들은 내 말을 잘 이해하는 듯해 보였다. 사실, 요즘 대학생들은 한자를 사용하는 세대가 아니다. 한자는 거의 배울 기회가 없고 신문이건 책이건 한글 전용이기 때문에 알 필요도 없는 것이 사실이다. 대부분 학생이 한자가 조금만 쓰여 있어도 교재조차 읽기가 버거울 정도이다.

하지만 역사라는 학문에서 한자는 꼭 필요하다. 한자

를 알면 용어를 쉽게 이해할 수 있고 그 의미도 한눈에 파악할 수 있다. 사실 인공지능이 판을 치는 4차 산업 시대에 고리타분한 역사학을 전공으로 선택했다는 자체만으로도 대견하다.

게다가 역사학과는 학생들이 진로를 선택할 때 가장 크게 고려하는 취업률 또한 낮은 것을 부정할 수 없다. 그럼에도 불구하고 인간 존재의 본질을 탐구하는 역사학은 인류가 존재하는 한 반드시 연구되어야 할 것이다. 그래서 이 학생들이 고맙고 대견하다.

이야기를 이어갔다.

통일신라의 승려 도선이 창건한 사찰 '도피안사', 한국전쟁의 참혹한 현실이 그대로 남아있는 '노동당사', 임꺽정과 관련된 '고석정' 그리고 궁예가 최후를 맞이한 '명성산'에 대한 이야기, 그리고 발해가 갑작스럽게 멸망한 이유가 화산 폭발이었다는 흥미로운 이야기까지 자세히 들려주었다.

"발해가 멸망한 이유가 화산 폭발로 인한 것인가요?"

아니나 다를까 학생들의 질문이 꼬리를 물고 이어졌다.

"역사는 결국 하나의 기록에 의한 것입니다. 단 한 사람도 발해가 멸망하는 모습을 보거나 사진을 찍은 사람은 없으니까요. 어떤 경우에는 단 한 문장으로 그 당시 역사를 유추해야 합니다. 하지만 그 기록이 진실이라는 증거는 또 없습니다. 어쩔 수 없이 그렇게 우리는 남아있는 흔적으로 역사를 파헤쳐야 할 수밖에 없습니다. 그래서 기록이 중요한 것이지요."

학생들은 교과서에서 배운 정설(正說)보다는 야사(野史)에 훨씬 흥미를 보였다. 물론 야사는 증명된 이야기는 아니다. 하지만 역사를 보는 관점에 대하여 알려주고 싶었다.

그리고 그 유명한 한국전쟁 때의 격전지였던 백마고지 전투와 유해 발굴 모습이 담긴 영상. 어찌 보면 다음、세대에는 자칫 잊힐 수도 있는 전쟁, 희생, 평화 등을 한꺼번에 전해줄 수 있는 장소가 바로 철원이다.

학생들은 현지답사 때 그 장소에서 어슬렁거리거나 기념품을 사는데 정신을 팔기도 한다. 그래서 강의실에서 그 장소에 대해 자세한 설명을 해주어야 한다. 그나마 학생들이 알게 되고 고민하고 기억할 수 있도록, 철원은 그런 곳이다.

〒

교수연구실 입구에 서 있는 지연이 보였다.

“선배, 이따 저녁 같이 안 할래요? 대학원 강의가 있는 날이라서 시간 되면 같이 저녁해요.”

지연은 이따금 이런 제의를 하곤 했다.

“그래, 5시쯤 정문에서 봐요.”

별생각 없이 대답했다.

원래 혼자 식사하는 것을 좋아하는지라 다른 동료들과 함께 식사하는 일이 거의 없다. 그런데 지연과 함께 하는 식사는 이상하게 편안하다. 그렇다고 해서 내가 먼저 함께 식사하자는 이야기는 거의 하지 않는다. 그냥 지연이 먼저 가자고 하면 모른 척하고 따라가는 수동적인 입장이다.

매콤한 돼지고기 김치찌개와 조금은 순한 소주를 놓고 지연과 마주 앉았다.

‘이 여자는 남자들이 주로 먹는 음식도 잘 먹네?’

지연의 소박함이 느껴진다. 김치찌개라서 소박한 것은 아니다. 젊었을 때 보았던 파스타와 와인만 찾는 여자가 기억나서였다. 내 생각을 아랑곳없이 자신이 여왕이나 된 것처럼 대접받고 싶어 한다는 것을 느꼈을 때 오만 정이 다 떨어졌었다. 아울러 내 생각은 묻지도 않는다는, 약간 무시당한다는 느낌도 감출 수 없었다. 그 후 그 사람과 다시는 식사하지 않았다. 그러데, 지연은 이런 종류의 음식을 실제로 좋아하는지는 모르지만, 최소한 내 의견을 우선해서 선택한다. 그런 것들이 좋았다. 사소한 것이라도 내가 존중받는 느낌이 들기 때문이다.

"대학원 강의는 어때? 대학생들과는 좀 다르지?"

"아무래도 선생님들이 많다 보니까 자기주장들이 강하고 저녁 시간이라 피곤해하는 사람들이 많아요. 꾸벅꾸벅 졸기도 하고. 매번 강의를 빨리 끝내 달라는 사람들이 꼭 한두 명은 있어요."

"그렇겠지. 아무래도, 그냥 조금은 편하게 강의하도록 해요. 학교에서 종일 학생들에게 시달리다 온 사람들인데 피곤하겠지."

지연은 나에게 많은 자문을 구한다. 선배랍시고 그녀에게 내 생각을 말해 준다. 내 말을 흘려듣지 않고 경청하는 그녀의 모습에 고마움과 비슷한 감정을 느낀다.

어쩌면 날 존중해 주는 사람일지도 모른다는 생각을 함께하면서.

지연은 나의 동료 교수이다. 그녀는 나와는 다른 방식의 성격과 행동 양식을 갖고 있다. 총장 선출 과정에서도 보면, 그녀는 자신의 신념을 조금도 굽히지 않는다. 여타의 교수들은 자신의 출신학교나 지연, 친분을 이유로 총장 선출에 임한다. 하지만 그녀는 자신의 신념대로 자신이 판단한 인물이 총장의 자격이 있다고 생각하며 자신 생각을 조금도 거침없이 주장한다.

어떤 것을 결정해야만 하는 상황에서 우유부단한 편인 나와는 정반대의 성향이다. 하지만 지연은 선배로서 나를 잘 따르고 신뢰를 표현한다. 그리고 가끔 저녁 퇴근 시간이면 식사를 함께 하자고 청하기도 한다.

총장 선출 문제에 관하여 이야기를 꺼냈다.

"저는 그렇게 생각하지 않아요. 그 교수님은 인품은 훌륭하시나 학교 전체를 아우르는 총장으로서는 맞지 않는 것 같아요."

그녀가 한 이야기이다. 아무리 나를 따르더라도 내 생각과 다른 것은 거침없이 이야기한다.

"그래? 그래도 그 교수님이 막상 총장이 되시면 어떻게 학교를 경영하실지는 모르지 않나? 지금 상황에서 섣불리 판단할 일은 아닌 것 같은데?"

완곡히 에둘러 내 의견을 이야기했다.

"하지만 총장은 지금의 그분에 대한 평판으로 선출하는 게 맞아요. 사람이 바뀔 수도 있겠지만 그렇지 않을 경우가 많아요. 사람의 속성은 잘 바뀌지 않지요."

지연은 말한다. 역시나 그녀는 자신의 신념에 대한 확신을 갖고 행동한다. 사실 학교의 총장이 누가 되건 큰 관심이 없다. 난 항상 그렇다. 그냥 내 할 일에만 관심이 있고 좋아하는 일을 하는 데 열중한다. 대학 시절부터 그랬다. 사회문제나 정치에는 특별한 관심이 없었다. 사회 참여적이지 않았다. 여러 가지로 지연은 나와는 반대의 성향이다.

"요즘 몸은 좀 어때요?" 지연이 묻는다. 나를 살피는 마음이 말속에 진하게 묻어난다.

"잠은 좀 자요?"

가끔은 그녀의 애정이 느껴진다. 날 사랑하는 건 아닌가 하는 착각이 가끔 들 때도 있다.

지연은 아직 미혼이다. 교수로서 열렬히 학문연구에

힘쓴다. 활동적이다. 유쾌하고 적극적이다.

어느 때부터인가 그녀가 내 주변에 가까이 다가와 있다. 하지만 생각이 정리되지 않았다. 아직은 아내의 죽음에 대한 아픔이 머릿속을 휘감고 있다. 그녀의 마음을 받아들일 수 있는 공간이 부족하다. 하지만 그녀는 주위에서 날 유심히 바라보고 있다. 그렇게 사랑은 우연을 가장한 채 주변에서 맴돌고 있다.

다시 사랑하고 새롭게 인생을 시작해야 할까? 연우의 얼굴이 생각났다. 연우는 다른 사람과 새롭게 시작하는 나를 어떻게 받아줄까? 행여 상처를 주지는 않을지, 아니면 그 선택을 지지하고 응원할지 알 수가 없다.

어느 때부터인가 지연은 내가 책을 쓸 때, 함께 다니면서 사진을 찍어주고 문장에 대하여도 조언해 주었다. 그렇다, 그녀는 그런 식으로 주위에서 보이지 않게 나를 지지한다.

어느 순간 안개가 걷혀보면 그동안 눈에 보이지 않은 것들이 보이기 시작한다. 눈을 가리고 있던 것이 없어지면 중요한 존재가 보인다.

지연은 항상 나의 시간을 기다려 주었다. 밤이 늦었건 언제건 내가 이야기하고 싶으면 언제든 받아준다.

밤늦게 술에 취해 혀가 꼬부라진 채로 전화기를 붙잡고 한 시간을 넘게 떠들어도 그냥 받아준다. 내가 하는 일, 내가 생각하는 일, 내가 고민하는 일, 내가 가슴 아파했던 일들을 나보다 더 잘 알고 들어준다. 자신의 생활은 뒷전이다. 내가 항상 우선이다. 그게 바로 나를 사랑하는 것 아닐까? 곰곰이 생각해 보았다.

그 누군가 날 위해 자신의 시간을 쓰는 것, 내가 모르는 것은 아무리 사소하더라도 꼼꼼히 가르쳐주거나, 고민을 가만히 귀담아들어 주는 것, 그 사람은 나를 진심으로 소중하게 생각하는 사람이다. 이토록 바쁜 현실에서 누군가를 위해 잠시 멈춰 선다는 건 결코 쉬운 일이 아니다. 지금 내 머릿속은 안개로 가득 차 있다. 진정으로 나를 사랑하고, 나를 생각해 주는 사람이 누구인지는 언젠가는 명확해질 터이다.

학회 모임이 끝난 저녁, 우연히 지연과 남산타워를 가게 되었다. 케이블카는 거센 바람에 흔들려 무서움을 자아냈다.

“선배는 학교 일하는 거 어떠세요?”

“글쎄, 그냥 연구하는 건 좋고 학생들이랑 소통하는

것도 크게 힘들진 않은데, 주변 동료 교수들과 인간관계 하는 게 지치는 거지"

"역사는 언제부터 관심이 있으셨어요?"

지연은 나에 대한 궁금증이 정말 많은가 보다.

"초등학교 4학년 때인가? 어머니께서 힘든 살림에도 한국위인전 전집을 사 주셨어. 그런데 읽다 보니 그게 너무 재미있더라고. 학교 공부 시간에도 책상 밑에 숨겨서 온종일 읽고 또 읽었어. 어떨 때는 선생님이 부르는 것도 모르고 읽다가 혼나기도 하고."

나 혼자 신나서 얘기하는 듯했다.

"고등학교 수학여행 때 경주에 갔었는데 첨성대 앞에서 그걸 한창 바라보고 있는데 주변이 신라시대로 변하더니 신라 사람들과 집들이 보이고 그 사람들이 다니더라고, 몇천 년 전의 그런 모습들이 다른 유적들을 볼 때마다 환상처럼 보이더라고, 그러다 보니 역사학을 전공하게 됐지. 거짓말 같지만."

지연은 나에게 관심이 많아 보였다. 자신이 전공하는 문학을 공통분모로 나와 이야기를 더 나눌 수 있으리라 생각하는 것 같았다.

"사실, 국문학도 좋았어. 고3 때 두 가지 진로 사이에서 고민했었지. 역사학이나 국문학이나 둘 다 어떤 스토리를 만들어 내는 거잖아? 진배없다고 생각해. 역사도 결국 기록이나 유적에 의존해서 이야기를 만들어 내는 것이거든. 소설이 작가의 상상으로 이야기를 만들어 내는 것처럼."

나름으로 가지고 있던 역사학과 국문학에 관한 생각을 이야기했다.

"전 어려서부터 교수가 되는 게 꿈이었어요. 꿈을 이루었다고 생각해서인지 약간 매너리즘에 빠지는 것 같기도 한데 그래도 지금 하는 일이 너무 좋아요."

지연도 자신의 이야기를 자연스럽게 털어놓았다.

"사실 시(詩)보다는 소설이 재미있던데, 우리 일하는 철원을 배경으로 하는 소설이나 글도 있으려나?"

"몇 편 있긴 해요. 소설은 학생들 가르치면서 함께 토론한 적이 있어요. '1945, 철원[9]'이요."

"어떤 내용일까? 철원 하면 남북분단이나 전쟁이 생각나니까 그런 쪽이겠지?"

"네. 아무래도 철원은 남북한 접경지역이다 보니 이

---

9) 이 현, 1945, 철원. 창비.

데올로기가 혼재된 지역이니까요. 같은 마을 사람들끼리도 공산주의자와 그렇지 않은 사람들이 섞여 있다 보니 아무래도 싸움이 일어날 수밖에 없겠지요?"

"결국, 이념의 대립이 소설의 주제가 되겠네."

"철원의 주소는 전쟁이 일어날 때마다 바뀌었으니까요. 철원 사람들은 항상 선택의 기로(岐路)에 서 있었지요. 선택에 따라 언제든지 하루아침에 죽을 수도 있으니까요. 정말 비극적인 도시 같아요."

지연은 물 만난 물고기 마냥 목소리에 힘이 실렸다.

"김주영 작가의 '쇠 둘레를 찾아서'는 조금 다른 시각인데, 철원에 대한 약간은 이상적인 관점이 담겨 있는 것 같아요. 유토피아까지는 아니지만 몽환적인 느낌까지 들게 하지요. 이상향을 찾아가는 느낌이랄까? 그리고 막상 도달했을 때 느끼는 허무함까지…."

"그 책은 나도 읽어보았어. 정확한 철원을 찾기 위한 여정을 그린 것이던데. 오히려 어두운 분위기보다는 낭만적인 느낌의 글로 기억해. 이상문학상 수상작이잖아."

"맞아요. 정말 문학에 관심도 많으시네요."

"그런가? 후훗!"

자연스레 화제가 바뀌었다. 지연과의 대화는 웬만해서는 끊어지지 않고 잘 이어졌다.

"결혼 생각은 없어?"

"글쎄요, 이미 늦은 건 아닐까요? 유학 다녀오고 어쩌고 한다고 보니까 금방 마흔이 돼 버렸네요"

지연은 멋쩍은 듯이 웃으며 대답했다.

"하긴 요즘 비혼이 유행하다시피 하니까, 지연 씨는 교수님들하고 관계는 괜찮아?"

"그냥 편하기만 할 수는 없겠지요. 학연이다, 지연(地緣)이다 말하면서 심지어 같은 동네에 산다고만 해도 줄을 대려고 하니까. 특히 출신 대학 때문에 교수 임용 때면 온갖 잡음이 끊이질 않네요. 우리 국문학과가 더 그런 거 같아요. 자기 목소리가 큰 교수님들이 많아서요. 선배는 그런 거 별로 관심 없지요?"

"그냥, 그런 거로 신경 쓸 만한 여유가 없는 거지. 원래 남의 일에는 특별히 관심이 없어. 정치하는 것도 별로고."

남산타워 위층에서 내려다본 서울은 꿈속의 한 장면처럼 아득하고 뿌옇게 보였다. 상공을 덮은 것이 구름인지 스모그인지 모른다. 그 아래로 언뜻언뜻 빌딩과 조그만 산봉우리들이 여기저기 서 있었다.

지연은 어디에선가 과자를 사 왔다. 과자는 하트모양으로 생긴 아이들이 주로 먹도록 만들어진 것이었다.

"선배, 이거 먹어봐요."

지연은 해맑게 웃으며 나에게 하트 모양의 솜사탕 과자를 건네주었다. 이럴 때면 지연은 장난기 많은 소녀같이 순수했다. 교수라는 자신의 직책이 무색할 만큼.

"국문학은 재미있어? 나도 고등학교 때는 문학을 좋아해서 동아리 활동도 했었는데, 그 당시는 써클이라고 했었어."

"글쎄 뭐랄까, 삶의 이유에 대한 해답을 찾는다고나 할까? 시나 소설이 모두 우리 삶의 본질에 대한 해답을 찾는 게 아닌가 싶어요. 찾아가는 방법이 장르라는 카테고리로 구별되지만 결국 근본적인 목적지는 같아 보여서요. 어쩌면 우리 모두 삶의 목표는 왜 사는지에 대한 해답을 찾고자 하는 것이니까요."

문학에 대한 지연 나름의 정의라는 생각이 들었다.

"대답도 문학적이네, 역시 다르네."

"선배는 좋아하시는 작가 있어요? 문학도가 되려고도 하셨다고 말씀하셨잖아요?"

"학창 시절에는 이문열 작가의 소설을 많이 읽었어. 한창 빠져서 이문열의 소설이란 소설은 다 찾아서 밤새 읽곤 했어. 나름 문학청년이었는데, 이젠 다 그 열정이 어디로 가버렸는지 모르겠네."

예전의 이야기를 이어갔다.

"사실은 사람들에게 위로가 되는 이야기를 글로 쓰고 싶었어. 애틋한 사랑 이야기나 역경을 이겨내는 진한 감동을 주는 이야기 같은 것, 내 글이나 시나리오가 힘겹게 살아가는 이 시대 사람들에게 조금이나마 위로나 위안이 될 수 있는 작가가 되고 싶었어. 사실 지금도 그것이 꿈이기는 하지만. 역사 쪽으로 관심이 많아서 전공을 선택하고 말았지만. 지금이야 뭐 다 지난 일이지, 할 수 없지, 뭐. 되돌아갈 수는 없으니까."

"그래도 아직 문학에 대한 감수성은 풍부하신 거 같아요."

"왜 그렇게 생각했지?"

"선배 논문이나 책을 보면 그런 감수성이 언뜻언뜻 느껴져요. 딱딱한 글인 것 같지만 꼼꼼히 살펴보면 사람의 감정을 살짝살짝 터치하는 게 보이거든요."

"자세히도 봤네."

"글쎄요. 선배한테 관심 있는 거 아닐까요?"

지연은 입가에 옅은 미소를 지으며 장난기 어린 목소리로 말했다.

정말 이 여자 나에게 관심이 있나? 사실 관심이건 뭐건 나를 따르거나 좋게 생각한다는 느낌은 든다. 나에게 어디를 함께 가자고 제의하거나 밥 먹고 퇴근하자는 말을 요즘 들어 더 자주 한다. 함께 하는 프로젝트 때문일까? 일주일에 한 번은 회의해야 하고 자주 의사소통하다 보니 접촉하는 시간이 많아진 이유도 있겠다.

사실 역사나 문학이나 인간 존재와 본질의 근본적인 문제에 관한 연구니까 공통점이 있겠지.

"이번 주말에 뭐 하세요?"

"특별히 없어. 내키는 대로 가겠지."

"그럼, 이번 주는 국회도서관에 자료 좀 찾으러 같이 가실래요? 바람이나 쏘일 겸."

"그럴까?"

잠시 머뭇거렸나 보다.

"싫으세요?"

지연은 불편한 내 왼쪽 다리를 위해 자신의 오른팔

을 살짝 끼며 어린아이처럼 말했다. 그녀의 허리춤이 내 몸에 바짝 붙었다. 따듯했다.

"아니야. 같이 가 그럼, 토요일이 좋겠다."

사실 사람이 북적대는 곳은 별로다. 게다가 요즘은 학술자료들이 대부분 전산화되어 있어 굳이 멀리까지 가지 않아도 된다. 그래도 바깥바람도 쐬고 지연의 청을 거절할 정도로 불편한 건 아니었다. 그냥 약속했다.

지연과 함께 국회도서관에서 한강 공원까지 천천히 걸었다. 긴 회색 코트가 169㎝에 이르는 지연의 큰 키와 잘 어울렸다. 내가 좋아하는 옷차림이다.

초가을이라 그런지 시원하게 강바람이 불었다. 바람은 내 기분을 상쾌하게 해 주었고 그 사이로 솔솔 피어나는 나뭇잎과 풀잎의 향기도 상큼했다. 지연의 머릿결이 바람에 날렸다. 샴푸 향기가 좋았다. 때마침 한강 위의 석양은 붉게 물들어 갔다. 영화 속 엔딩 장면과 비슷하다는 생각이 들었다. 그리고 조금 있으면 엔딩 크레딧이 올라갈 것만 같았다. 슬픈 주제곡과 함께,

"전 저녁노을 질 때 하늘 색깔이 너무 좋던 데요."

지연은 자연스럽게 말문을 열었다. 어색한 분위기는 가벼운 대화로 녹일 수 있다.

"선배는 MBTI가 뭐예요?"

"하하! 나이 든 사람들은 혈액형이 뭐냐고 물어보고 더 나이 든 사람은 띠가 뭐냐고 물어본다던데. 지연 씨는 젊은 거 맞나 보네"

어쭙잖은 농담을 해 보았다.

"ISTJ 인데?"

"네, 제가 보기에도 선배는 ISTJ 성향을 그대로 가지신 것 같아요."

"어떤 성향을 말하는 걸까?"

"일단 신중하고 책임감 있으시잖아요. 집중력도 있으시고 침착하고, 게다가 제 기분이 어떤지는 전혀 생각 안 하시는 거 같아요, 사내 정치에도 별 관심도 없으시고요."

"내가 지연의 기분을 생각 안 한다고? 기분 나쁘게 했었던 적 있으면 미안해."

"그 얘기가 아닌데, 내가 선배랑 얘기하고 싶어 한다는 걸 잘 모르시는 것 같더라고요."

"……"

"그러게, 그렇게까지는 생각 못 했네? 그런데 그건 성향과는 다른 감정의 문제 아닐까?"

"그럼, 제 감정이 어떤지는 생각해 봤어요."

"그렇게까지는……"

"그럼, 지금부터라도 생각해 보세요"

지연은 재미있다는 듯이 웃으며 말했다.

한강 옆의 자그마한 노란색 벤치에 지연과 나란히 앉았다. 차분히 흘러가는 강물처럼 내 감정도 잔잔하게 일렁거렸다. 평온한 마음에 가만히 바라보다 고요한 물결 속으로 빠져가는 느낌이었다. 바람은 수면을 조각조각 부수듯이 일렁이게 만들었다.

지연과 최근에 보았던 영화 이야기를 주로 나누었다. 그리고 학창 시절에 보았던 영화들까지 우리는 신이 나서 주인공의 성격이나 영화의 스토리가 잘못되었다든지 아니면 다르게 이야기를 끌어갔으면 더 재미있었을 것이라든지, 마치 우리 자신들이 영화의 감독이 된 것처럼 평론과 각색을 일삼았다. 시간 가는지도 모를 만큼 재미있게.

"선배, 여기서 수산 시장 가까운데 시장 구경이나 하고 갈래요?"

이렇게 지연은 항상 함께 할 장소나 일을 먼저 이끈다. 난 그저 따를 뿐이다. 그렇게 성격이 적극적이다.

어려서부터 리더가 되어 본 적도 없고 될 생각도 없었다. 그렇다고 해서 인생을 수동적으로 살아온 것은 아니었다. 나 스스로 신중하게 진로를 선택했다. 그 누구의 도움이나 조언 없이 내가 하고 싶은 것을 스스로 판단하고 나만의 힘으로 해결했다. 그런데 지연과 함께 있을 때면 이상하게 그녀를 따르기만 하게 된다. 그리고 그 사실이 지연과 함께 있는 시간이 편하게 느껴졌던 이유이기도 하다.

이렇게 지연과는 가끔 데이트 아닌 데이트를 하곤 했다. 그런데 무엇보다도 마음이 편했다. 평온했다. 옆에 누가 있다고 해서 조금도 불편하지도 않고 신경이 쓰이지도 않았다. 지연은 그렇게 내 마음속으로 서서히 스며들고 있었을지 모른다.

지연은 나에게 항상 친절하다. 지금 일하는 학교의 교수 중 몇 안 되는 대학동문이다. 나와는 나이 차가 좀 있지만 속이 깊고 현명하다. 그리고 나에게 안부를 묻거나 힘든 일을 의논하는 유일한 여자 동료이기도 하다. 때로는 내가 선배가 아닌 후배 같다. 나이가 어리다는 느낌이 들지 않을 정도로 그녀는 냉철하고 어른스럽다.

그런 그녀가 싫거나 불편한 건 아니다. 하지만 이성으로서 관심은 별개의 문제다. 그녀는 항상 내 주변의 가까운 거리에서 맴돈다. 인간적 관계를 넘어서지 않되, 내 영역의 안쪽까지는 들어오지 않는다. 주변에 머무르며 서성일 뿐이다. 오히려 그것이 더 편하고 오래 갈 수 있는 관계이기도 하지만 ….

함께 있으면 편하고 없어도 불편하지 않은, 그냥 가끔 생각나거나 학교 구내식당에서 다른 사람의 눈치 안 보고 편히 먹을 수 있는 사람? 그 이상 이하도 아닌 마음의 간격을 우리는 일정하게 유지하고 있다. 마치 두 개의 나란한 수평선처럼.

무엇보다 지연의 가장 편한 점은 식당에 함께 갔을 때 메뉴를 고르느라 시간을 지체하지 않는다는 것이다. 나와 같은 것을 먹거나 비슷한 것을 선택한다. 그 시간이 채 10초도 걸리지 않는다. 식당에서 함께 한 사람이 메뉴를 고르느라 고민하는 것은 그 장면을 보는 것만으로도 고역이다. 심지어 상대방을 배려한답시고 서로에게 선택권을 미루다 보면 같은 얘기만 반복되고 결국 각자 다른 메뉴를 선택하게 되어 시간만 허비하고 결국에는 식당 주인의 눈치까지 감수해야 한다.

내가 주로 혼자 식당에 가는 것도 그런 수고를 덜기 위한 이유이다. 물론 조용히 먹고 싶은 이유가 가장 크겠지만 불필요한 잡음이나 시간 낭비로부터 자유롭고 싶은 이유가 가장 크다. 나에게 맞추어 주는 것인지 원래의 성향이 그런지 정확히 모르겠지만 지연은 함께 식당에 가도 전혀 불편을 주지 않는 몇 안 되는 적은 수의 사람 중 한 명이다.

눈빛은 감정의 압축이다. 마음 깊은 곳의 감정은 눈빛에 아로새겨진다. 아니, 말과 글로 표현하지 못하는 마음도 눈빛으로 나타난다. 지연의 눈빛에서 날 따르는 마음을 연하게 읽을 수 있었다.

ㅜ

지연 부친의 부고(訃告)를 들은 건 오늘 오후였다. 의정부의 병원 장례식장에 모신다고 했다. 부고는 언제고 몇 번을 들어도 익숙해지지 않는다.

나도 15년 전쯤에 아버지를 잃어 보았기 때문에 그 아픔과 황망함, 슬픔을 이해한다. 사실 아버지를 잃기 전에만 해도 다른 사람의 장례식장은 그냥 시간이 되면 찾아가고 대부분 잘 가지 않았었다. 장례식장이라는 음울한 분위기도 내키지 않았고 다녀온 후의 우울함도 반갑지 않기 때문이다. 그런데 아버지의 상을 치르고 난 이후에는 아무리 바빠도 꼭 장례식장에 찾아간다. 힘들게 찾아와 주는 사람의 고마움을 이해하기 때문이다.

이른 저녁 시간, 서둘러 장례식장으로 향했다. 아직 채 장례 준비가 되지 않고 있었다.

지연은 정신이 없어 보였다. 자신의 어머니를 챙기랴 장례 준비하랴. 게다가 지연의 친척은 거의 없었다. 지연을 자연스럽게 돕게 되었다.

"괜찮아? 힘들겠지만 지연 씨가 정신 바짝 차려야 해."

지연에게 말해 주었다.

지연은 눈물을 흘리며 애원하다시피 말했다.

"선배 저 좀 도와주세요. 어찌해야 할지를 모르겠어요."

냉철하기만 한 지연이 눈물을 흘리며 도움을 청했다.

"일단 상조회 직원부터 부르고 장지를 빨리 정해야

해. 발인 때 나갈 수 있도록 최대한 빨리 정해야지. 미리 알아둔 곳은 없어?"

"네 갑자기 돌아가셔서 생각 못 했어요. 어쩌지요?"

"일단 내가 알아볼 테니 상조회 직원이 오면 제사상부터 차리고 음식 준비해야 해. 상주들 상복 챙기고. 내가 사무실에 얘기할께."

지연은 내가 시키는 대로 따랐다. 지푸라기라도 잡는 듯해 보였다.

저녁 6시 무렵 상조회 직원과 얘기를 나누었고 어느 정도 구색이 맞추어진 장례식장이 꾸며졌다. 지연은 그제야 다소 안정이 된 듯 조문객을 받기 시작했다.

한쪽 구석에서 소주잔을 기울이며 시간을 보냈다. 지연이 가엾어 보였다. 평소에 그리 당당하기만 하던 그녀도 부모의 죽음 앞에서는 한낱 여린 여자에 불과했다. 그렇게 야무지게 일하던 그녀가 아무런 일도 하지 못했다. 한편으로는 인간적인 모습을 보게 되었다. 그렇게 울면서 도움을 청하는 것은 진심으로 날 믿고 따르는 것일지도 모른다.

상가(喪家)는 어느 곳을 가든 울적하다. 나와 가까운

관계건 먼 관계건 상관없이. 왁자지껄하지만 그 속에는 가족들의 슬픔이 서려 있다. 특히 망자의 자식들은 그 슬픔을 감춘 채 조문객들을 맞이해야 한다는 일종의 의무 아닌 의무와 도리 때문에 슬픔을 표현할 시간도, 마음의 여유도 없다. 사실 상가에서 가족들끼리 언성을 높여 다투는 모습도 가끔 보았다.

부모의 죽음은 자칫 자식들 사이에서의 갈등을 유발하기도 한다. 그만큼 부모의 생존은 중요한 것일지도 모른다. 특히 유산분배가 제일 문제가 될 것이다. '그 부분까지도 해결하고 죽는 것도 부모들의 몫인 건가'라는 생각을 한 적도 있다. 그래도 자식들은 부모가 사망했다는 사실에 대한 슬픔은 이루 말할 수 없을 만큼 클 것이다. 정상적인 가정이라면.

검은색의 상복과 드문드문 들려오는 웃음소리까지, 죽음과 삶이 교차하는 모습들은 다시 한번 삶의 소중함과 허무함을 동시에 일깨워 준다.

그날 밤늦게까지 지연의 상가를 지켰다. 술에 잔뜩 취한 채로 집에 와서 곯아떨어졌다.

ㅜ

다음 날이었다. 오후 강의를 마치고 다시 지연의 상가에 다시 가려고 준비하고 있었다.

지연이 속한 국문학과의 학과장에게 전화가 왔다. 내 차로 자신을 데리고 상가로 가자는 말이었다. 학과장은 나와 나이가 같았다. 학과장이라는 직위를 가져서인지 자신의 지위에 대한 자부심이 꽤나 큰 사람이었다.

시간을 따로 정하기도 애매하고 굳이 그럴 필요까지는 없다고 생각해 그 제의를 완곡하게 거절하고 혼자 지연의 상가로 향했다.

상가에는 지연이 정신없이 손님을 받고 있었다. 나는 다른 동료 교수들과 함께 한쪽 편에 앉아 있었다.

1시간쯤 지나서였을까? 학과장은 혼자 상가에 왔다. 내 앞자리에 앉은 학과장은 나에게 불평했다.

"왜 혼자 갔어요? 어차피 조금만 기다리면 함께 올 수 있는데. 차가 없어서 오느라 힘들고 짜증 났어요."

어이가 없었다. 그냥 대꾸하지 않았다. 그럴 의무도 없었고 상가는 원래 불편하게 오는 곳이지 그렇게 편하게만 찾아오는 자리는 아니라고 생각했다.

사실, 학과장이 기다리던 대답은 내가 죄송하다고 사과하거나 집에 갈 때는 모셔드리겠다는, 자신의 지위에 대한 '고개 숙임'이었을 것이다.

"왜 그렇게 말씀하시지요? 학과장님을 모시고 와야 할 의무라도 있다고 생각하시나요."

학과장은 화가 난 듯 목소리를 높였다.

"그래도 내가 전화까지 해서 이야기했으면 같이 오는 게 경우 아닌가요?"

지연의 상가에서 언성이 높아지는 것은 좋지 않다는 생각이 들어 더 이상 대꾸하지 않았다.

다음 날, 학과장의 연구실로 직접 찾아가서 이야기를 나누었다.

"내가 시간을 바꿔서 왜 당신을 모시고 그렇게 가야 한다고 생각합니까?"

"당신? 내가 당신이요?"

"학과장이 나에게 부탁이나 양해도 아니고 그냥 당신 시간에 일방적으로 일정을 맞추라고 말할 수 있는 권리가 있습니까? 그런 게 바로 갑질이지요? 정식으로 문제 삼아볼까요?"

난 이미 자아를 상실한 채 화가 머리끝까지 차올라 버렸다.

"학과장이 자기 동료 교수의 부친상에 갔으면 위로

하고 격려하는 게 자신의 할 일이지, 편하게 못 왔다고 불평하는 게 할 일입니까?"

그렇다. 사람은 자신의 이름 앞에 지위가 붙는 순간 원래의 이름은 잊은 채 그 지위에 따른 권위를 앞세우게 된다. 물론 그렇지 않은 이도 있지만 쉬운 일은 아니다. 그렇지만 최소한 노력은 해야 한다.

난 지위에 대하여 존중은 하지만 무릎 꿇을 생각은 전혀 없다. 행정상의 지위를 인격적인 지위로 착각하는 사람은 질색이다. 그런 모습을 견디지 못한다.

학과장은 융통성이 없이 인색하고 지나치게 자기 방식만을 고집하는 사람이다. 사회적인 관계에 대한 고려보다는 자신의 우월한 지위만을 우선으로 내세운다.

학과장은 '강박성 인격 장애'를 가진 사람이다. 문제는 요즘 이런 종류의 인간들이 주위에 많이 있다는 사람이다. 이런 사람이 나와 관계를 맺어 영향을 줄 때가 힘들다.

스테판 클레르제는 이런 부류의 사람을 두고 '멘탈 뱀파이어(mental baempaieo)'라고 불렀다. 뱀파이어처럼 나의 정신을 흡혈하듯 빨아대는 사람이기 때문이다.

그리고 그는 멘탈 뱀파이어를 알아보는 방법을 이렇게 소개했다.

"그 사람 옆에 있으면 기분이 어떤지, 그 사람과 어울리고 난 후, 곧바로 기분이 어떤지 생각해 보는 것이 제일 좋은 방법이다. 일반적으로 우리의 기분은 그날그날에 따라 달라진다. 하지만 멘탈 뱀파이어와 함께 있으면 정신적으로든, 감정적으로든 행복하거나 힘이 나거나 충만한 기분이 들지 않는다. 그보다 피곤하고 우울하고 의기소침하고 긴장되고 혼란스럽고 불안하고 탈진된 기분, 나아가 힘이 쫙 빠지는 기분이 든다."

그 말에 철저히 동의했다. 멘탈 뱀파이어는 우리를 만난 후 에너지를 얻고 기분 좋게 돌아가겠지만, 정작 나는 바짝 말라버린 빨래처럼 너덜너덜해져 버릴 수 있다.

아무리 귀를 꽉 막아도 어렴풋하게 조그마한 소리는 들리고, 코를 아플 정도로 틀어막아도 완전히 냄새를 맡지 않을 수는 없다. 아무리 노력해도 다른 사람의 영향을 받지 않을 수는 없다는 이야기다. 그런데, 문제는 안 좋은 소리와 안 좋은 냄새를 풍기는 사람이 주변에 많다는 것이다. 그리고 그로 인해 마음은 상처를 입는다.

심리적으로 고통스러운 일을 당하면 마음에 '상처를 입었다'라고 표현한다. 겉으로 피가 나고 생채기가 생기지 않더라도, 몸이 다친 것처럼 마음도 아프다는 의미이다. '가슴에 멍이 든다' '가슴이 쓰라리다' '마음이 찢어진다' '뼛속까지 저리다' 등 마음이 힘겨운 걸 몸의 고통처럼 표현하는 말들이 많다.

은유적 표현 같아 보이지만, 이는 근거 없는 단순한 비유가 아니다. 실제로 뇌에서는 몸의 통증과 마음의 통증을 같은 자극으로 받아들인다. 특히 사람에게 상처받았을 때 그렇다. 거절이나 따돌림, 실연, 사별 등 대인관계에 문제가 생기면, 비록 눈에 보이지 않더라도 우리 뇌에서는 마음이 붓고, 피 나고, 멍든 것으로 여긴다고 한다.

이런 사람은 관계를 멀리하는 것이 상책이다.

'미운 정도 정이다'라는 말을 이유도 없이 믿고 나와 맞지도 않은 사람을 힘겹게 끌어안을 애썼던 지난 세월이다. 이게 맞는 관계인가라는 고민이 들 때마저 한때 그 사람과의 즐거웠던 순간, 외형적으로 나를 위해

준다는 착각의 순간들을 생각하며 마지막으로 한 번 더 참는다고 생각하며 그 관계를 지켜냈었다. 그렇지만 이제야 느낀 것은, 내 주변의 모든 사람을 잃지 않으려 애쓸 필요가 전혀 없다는 것이다. 아니, 오히려 나와 맞지 않다고 판단이 선 관계는 빨리 끊어버리는 것이 상책이다. 나와 맞는 사람, 나와 결이 같은 사람만 지키며 살아도 충분하다는 사실을 알게 되었다. 어차피 나와 오래 관계를 유지하는 사람은 결이 같고, 마음이 통하는 사람이다. 관계의 필터링은 빠를수록, 그리고 최대한 섬세한 틈으로 만들어진 필터일수록 좋다.

학과장과는 여러 번 유사한 문제로 부딪친 적이 있었다. 그럴 때마다 조금은 참으려고 노력했고, 모른 척 할 때도 많았다. 학과장은 그런 나의 모습에서 날 우습게 봤을지도 모른다. 학과장의 그런 인식이 어제의 그런 모습으로 나를 대하게 하는 원인이었을 것이다.

하지만 나의 잘못이 아님에도 불합리한 것들을 감당할 수는 없고 하고 싶은 생각이 전혀 없다. 아마 학과장과는 앞으로도 수시로 충돌이 있을 것이다. 피할 생각도 없다.

며칠이 지난 후 지연이 학교로 돌아왔다.

"선배, 고마워요. 뭐라 감사해야 할지 모르겠어요."

"아니야, 도움이 되었으면 다행이지."

학과장과 있었던 일을 지연에게 말했다.

"내가 미안하네요. 나 때문에 일어난 일인 거 같아서."

"지연이 무슨 상관이야? 정신 나간 학과장이 잘못이지. 앞으로 또 그러면 가만히 있지 않을 거야."

"그래도 고마워요. 내 편이 되어준 것 같아요."

지연은 자신과 큰 상관이 없는 일임에도 자신의 상가에서 일어난 일이어서인지 고마웠다고 말해 주었다.

ㅜ

그렇게 한 달여가 흘렀다. 지연은 어느 정도 마음을 추스르는 듯해 보였다. 아버지의 갑작스러운 죽음에서 오는 슬픔은 쉽게 사그라지지 않는다.

그래도 시간은 우리 삶의 모든 희로애락을 잊게 해준다. 망각이 없으면 인간이 살 수 없다.

오스카 와일드는 '망각을 사랑하는 법을 알게 되었을 때 비로소 삶의 기술을 터득했다고 할 수 있다'라고 말한다. 시간과 망각이라는 도구는 슬픔을 엷어지게 해

준다. 물론 상처라는 흔적을 평생 남겨 주긴 하지만.

어느 날, 혼자 늦은 저녁 식사를 하기 위해 학교 앞 식당에 들렀다. 지연은 같은 학과의 다른 남자 교수와 함께 밥을 먹고 있었다. 모른 척 옆 테이블에 앉아 혼자 식사했다. 지연이 다른 남자와 단둘이 이야기를 나누는 모습에 야릇한 감정을 느꼈다.

지연은 내 마음속에 내재하여 있는 그 무언가를 열어젖혔다. 외향적인 성격의 그녀가 다른 사람과 식사한다는 일은 어찌 보면 아무렇지도 않은 일일지도 모른다. 하지만 그 모습에서 생전 처음 '질투' 비슷한 감정의 단면을 보았다.

사랑과 집착, 질투는 한 쌍의 수레바퀴처럼 궤를 같이한다. 가끔 보았던 지하철역 앞에서의 연인들의 다툼은 대부분 질투에서 비롯된다. 그리고 이별의 단초(緞絹)가 되는 사유 또한 대부분 질투와 시기에서 비롯된다. 질투는 신뢰를 무너뜨리고 그 무너진 신뢰는 다시 회복하기 어려울 만큼 두 사람의 관계를 갈라놓는다.

그런데, 내가 지연에게 질투를 느낄 수 있는 사람인가? 지연과 사귀는 것도 아니고 조금이라도 특별한 관계는 더욱더 아니라고 생각하고 있었다. 아니, 우리 관계에 대한 아무런 판단이나 고민 자체가 없었다. 그런데 지금 질투인지 모를 그 비슷한 감정을 느끼고 있다.

연구실로 돌아와 지연과의 관계에 대하여 처음으로 신중하게 고민해 보았다. 친한 후배 교수, 믿고 따르는 선배, 아니면 그보다는 조금 더 가까운 사이?

왜냐하면 주말이라는 사적인 시간에 함께 있기도 했기 때문이다.

늦가을, 지연과 오랜만에 이야기를 나누었다.

대학 캠버스의 가을은 나름 낭만적이다. 이 분위기가 좋아 교수가 되고 싶었다. 교수가 되면 매일매일 이런 분위기에서 생활할 수 있을 것이라는 믿음이 있었다.

새 학기가 시작되는 봄의 분위기가 생동감이 있는 것처럼 가을은 단풍이라는 고혹적인 색감으로 그린 수채화 같은 광경을 만들어 낸다. 김광균 시인은 '추일서정(秋日抒情)'에서 '낙엽은 폴란드 망명 정부의 지폐'라고 이야기했다. 낙엽은 아무 쓸모 없어진 지폐처럼 버려져 거리를 지저분하게 한다는 의미일까?

잠시 벤치에 나란히 앉았다. 드문드문 비어 있는 벤치는 버려진 낙엽과 잘 어울려 보였다.

"좀 어때?"

"많이 나아졌어요. 혼자 계신 어머니가 마음에 걸리기는 하는데, 어머니도 적응하셔야지요."

"시간이 좀 필요하긴 하겠지. 나도 아버지 보내드리고 나서 한 몇 년은 고생했으니까."

"지난번에 다른 사람하고 저녁 식사하고 있던데?"

"아, 그거요~ 함께 한 건 아니고 식당 가는 길에 앞에서 우연히 만나서 했어요, 그래도 우리 과에서는 저와 가장 마음이 맞는 교수님이라서요, 별생각 없이 식사만 했어요. 혹시 신경 쓰였어요?"

지연은 배시시 웃으며 말했다.

"선배, 혹시 질투하는 건 아니지요?"

"아니야. 그냥 물어본 거야. 그런데 기분이 그리 썩 좋지는 않더라고."

"선배도 제가 그런 거 신경 쓰이시는구나. 왜 기분이 좋지 않았을까요?"

지연은 약을 올리듯 나에게 편하게 말했다.

"아니라니까."

"네네, 알았어요. 설마 그러시지는 않겠지요?"

지연도 장난이라는 듯이 그냥 넘기는 것 같았다.

"선배 그런 면이 재미있고 좋아요. 어떨 때는 선배 같다가 어떨 때는 아이처럼 귀엽거든요."

"귀엽다?"

그 단어가 나에게 가장 어울리지 않다고 생각했다. 그런데 지연은 생각이 다른가 보다. 나의 반전 매력이 자신이 볼 때는 가장 매력 포인트라는 말을 가끔 했었다.

'이 여자는 나를 어린아이 취급하는 건가? 아니면 정말 나에게 남자로서 매력을 느끼는 건가?'

조금 더 할 말이 있었는데 그 말이 정확히 무엇인지 잘 몰랐다. '기분이 나빴다.' 라고 얘기하기에는 지연과의 관계가 명확하지 않기 때문이다. 하여튼 그리 유쾌하지는 않았다. 그것이 지연에 대한 내 마음 때문일지 모르고 아니면 그냥 단순한 질투일지도 모르겠다.

그날 밤, 지연에 대한 감정을 정리할 수 있었다.

그것은 '소유욕'이었다. 쓸데없이 불필요한 소유의 욕구가 있다. 매슬로우의 3단계 욕구와 비슷하다. 매슬로우는 인간의 욕구 중 3단계를 애정, 소속의 욕구라 설명했다. 하지만 어느 집단에 소속해서 사회적 관계를 맺고자 하는 욕구는 잘 느끼지 못한다. 그것과는 유사하지만 내 딸, 내 친구, 내 부모, 이런 식으로 나의 소중한 것들의 앞에는 '내'라는 용어를 습관처럼 붙인다. 난 그것을 소유욕의 표현이라고 생각한다. 어쩌면 지연은 내 무의식 속에 이미 '나의'라는 접두어이자 수식어가 붙어버렸을지도 모른다고 생각했다. 물론 지연은 어떤 생각을 하고 있는지는 모르지만. 이것은 이미 부정할 수 없는 솔직한 마음인 것을 깨닫게 되었다.

어느 날 지연이 연구실로 찾아왔다. 연휴 전날이라 조금은 한가한 시간이다. 무언가를 한 아름 들고 왔다.

"선배, 지나가다 잠시 들렀어요."

"학교 앞 꽃집에서 구경하다가 하나 샀어요. 연구실에 두면 좋을 것 같아서요."

지연은 무언가를 주섬주섬 꺼냈다. 유리병과 조그만 조약돌 두어 줌. 그리고 초록색과 연한 노란색이 섞인 식물이었다.

"수경 식물 만드는 키트인데, 사나흘에 한 번씩 물만 갈아서 주시면 돼요."

"그래? 식물 이름이 뭐지?"

사실 식물에 그리 관심은 없었다. 하지만 이곳까지 사 온 지연의 성의가 고마웠다.

"마리안느예요."

"마리안느?" 깜짝 놀랐다.

죽은 아내에게 내가 선물한 식물이 마리안느였기 때문이다.

"네, 마리안느의 꽃말이 뭔지 아세요?"

"뭐지?" 모르는 척 되물었다.

"변하지 않는 사랑이라네요."

나에게 '변하지 않는 사랑'의 꽃말이 담긴 식물을 왜 주는지 궁금했다. 내가 아내에게 같은 식물을 주었을 때의 감정과 같은 것일까?

"잘 기를께요. 자신은 없지만."

어색한 고마움을 표했다. 지연은 잠시 차를 함께 마시고 돌아갔다.

마리안느 두 개를 연구실에 볕이 가장 잘 드는 창문 쪽에 놓았다. 연구실 문을 열면 가장 먼저 보이는 위치이다.

그렇게 지연은 소리 없이 슬며시 나에게 다가온다. 지연의 그런 모습이 낯설거나 불편하지 않다. 아니 오히려 조금은 반갑다.

그런데, 내가 먼저 지연에게 함께 식사하자거나 어디를 가자는 제의를 한 적은 없다. 내가 너무 예민한 것일까. 나의 예민함과 상관없이 지연은 이후에도 계속 잊지 않을 만큼 나에게 슬며시 다가와서 나를 챙겨주고 내 주위를 살펴주었다.

그렇지만 아직 지연과 더 가까워지기가 부담스럽다. 가까워지면 자칫 헤어짐이라는 다른 관계가 형성될 수 있다. 이젠 그런 상처를 지니고 싶지 않기 때문이다. 물론 지연이 어떠한 마음을 품고 있는지 한 번도 이야기를 나눈 적이 없다. 하지만 난 스스로 이미 지연과의 거리를 정해두었다. 자칫 지금처럼 편하게 이야기를 나눌 수조차 없는 관계가 되어버리는 것이 싫었다.

그 후 몇 달이 지났다. 지연의 조그마한 호의들은 그 횟수가 잦아지고 내 마음은 조금씩 물들어 갔다. 만남의 이유는 많아지고 지연과의 대화는 그 깊이가 차츰 깊어졌다. 조금씩 마음을 열 수밖에 없었다.

지연에게 이런 말을 한 적이 있다. 지연의 마음을 넌지시 떠볼 의도가 있었다.

“여자는 ‘사랑한다’,‘보고 싶다’라는 말을 불안할 때 한다더군.”

지연은 시큰둥하게 대답했다.

“여성의 심리 책 많이 읽었어요? 그런 생각 한 번도 안 해봤는데. 지금 불안한 거 없는데.”

"불안하다는 건 저 남자와의 관계에 대해 확신이 안 들거나 불가피하게 정리해야 하는 상황에서 오는 불안감이지요."

한 해의 끝자락, 지연은 나에게 장문의 자작시를 메시지로 보냈다. 연말 인사려니 하고 별생각 없이 읽기 시작했다.

1년 내내 찾아봐도 감정의 깊이에 어울리는 낱말이 안 떠오르던 이, 때로는 미소 지으며 때로는 눈물 흘리며 서로의 마음에 푹 빠져있던 시간,

마음껏 사랑하고 마음껏 사랑받는다는 게 무엇인지 알려준 고마운 이, 자신의 넘치는 매력을 본인만 몰라봐서 때로 속상하던, 반면 나도 모르던 내 안의 또 다른 나를 마주하게 해 주던 이,

그는 언젠가 이 시간도 잊혀지고 사랑 또 찾아온다 했었지만 이제 압니다. 그런 모든 표현이 깊은 마음의 또 다른 이름인 것을.

국문학과 교수인 지연은 시로써 마음을 간접적으로 표현했다. 그제야 깨달았다. 이 여자, 날 많이 생각한다는 것을.

제 5화

허 무(虛無)

담배와 커피는 젊은 시절부터 중독자라는 말을 들을 만큼 즐겨 했다. 어쩌면 지금의 몸 상태에 상당 부분 영향을 미쳤을 가능성이 있다. 그래도 그것 없이는 살 수 없을 만큼 습관처럼 담배와 커피를 즐긴다. 지금도 마찬가지이다. 담배는 신선한 공기를 마시는 느낌이고 커피는 영양 많은 보약 같다. 물론 그것들은 계속해서 나의 뇌와 폐를 잠식해 가고 있었고 앞으로도 그럴 것이다.

지난주에 학생들에게 철원에 관한 이야기를 해 주어서인지 이 학생들과 같은 또래인 연우가 생각났다.

월요일 저녁, 오랜만에 연우에게 전화했다. 겨울방학일 테니까 시간을 내서 함께 철원 지역을 답사도 하고 이야기도 나눌 요량이었다.

"알았어요. 아빠, 수요일 아침에 아빠 계신 곳으로 갈게요"

연우는 여느 때처럼 내 말을 따라주었다.

"날씨 추우니까 방한복 잘 입고, 신발도 따듯하게 하고 오렴."

여러 차례 당부하고 전화를 끊었다.

철원은 태봉의 도읍이다. 태봉(泰封)은 후삼국시대의 삼국 가운데 한반도 중, 북부에 자리 잡았던 나라로, 궁예에 의해 창건되었다.

905년에 도읍을 철원으로 옮기면서 국호를 태봉, 연호를 수덕만세(水德萬歲)라고 하였다. 그 후 궁예는 국호를 고려, 마진, 태봉으로 세 차례 바꾸었다. 대중적으로 후고구려라는 이름으로도 불린다.

이후 918년 왕건이 역성혁명으로 궁예를 실각시키면서 태봉을 멸망시키고 고려를 건국한다.

철원은 크게 두 가지의 역사적 의미로 해석될 수 있다. 첫째는 태봉과 궁예에 대한 것, 그리고 다른 하나는 한국전쟁의 참혹한 흔적이다.

연우는 연천에서 만났다. 서울에서 오는 지하철이 소요산을 지나 최근에 연천역(驛)까지 개통되었다. 이 전철은 경원선의 한 부분이다. 우리가 통상적으로 알고 있는 '철마는 달리고 싶다.'는 표지판이 신탄리역과 백마고지역에도 설치되어 있다. 그 종착역이 바로 북한의 원산이다. 서울과 원산을 잇는다고 해서 경원선이라 이름 지어졌다. 지금은 연천역까지만 운행되고 연천역 위의 역인 대광리역, 신탄리역 등은 폐역이 되었다. 그저 역사의 한 흔적으로만 남겨져 있다.

연천역에서 연우를 픽업한 후 백마고지역을 먼저 들렀다.

"아빠, 백마고지가 뭐예요?"

"백마고지는 한국전쟁 때 남북한이 서로 차지하려고 많은 희생을 했던 조그마한 산이란다."

"왜 그렇게 서로 차지하려고 했어요?"

"높은 곳을 점령해서 자리를 잡으면 그 주변이 훤히 보여서 적이 들어오는 것들을 쉽게 알아챌 수 있고 지키기도 훨씬 쉽지. 그래서 군인들이 서로 중요한 고지를 차지하려고 하는 거야. 좀 이따 소이산 정상에 가면 백마고지를 한 눈으로 볼 수 있어."

연우도 여느 젊은이들처럼 한국전쟁에 관해서는 교과서나 서적으로만 보고 외우는 정도였지, 자세한 이야기나 우리 민족이 겪었던 아픔들에 대해서는 전혀 알지 못했다. 온갖 지식을 동원했다.

"특히 철원평야를 두고 그 주변, 북한의 '평강'이라는 지역과 여기 철원과 김화를 선으로 이으면 삼각형 모양이 나오는데 그걸 '철의 삼각지대'라고 불렀어. 한국전쟁 당시 벤플리트 장군이 "적의 생명줄인 철원-평강-김화의'철의 삼각지대(Iron Triangle Zone)'를 반드시 차지해야 한다."며 의지를 밝힌 후 얻은 이름이라고 해.[10] 여기를 지키지 않으면 북한의 남침을 막기가 어려웠지. 뚫리면 철원으로 포천, 동두천, 의정부, 서울까

---

10) 네이버 지식백과, 한반도의 배꼽 철원 - 어머니의 넉넉한 품 (신택리지, 이기환, 경향신문)"

지 바로 들어올 수가 있거든. 수 많은 군인들이 죽어갔어."

"근데 왜 이름이 백마고지예요? 말하고 비슷하게 생겼어요?"

"한국전쟁 때 백마고지에 군인들이 너무나 많은 폭격을 했어. 하늘에서 보면 꼭 하얀 말이 드러누워 있는 것처럼 보인다고 해서 백마고지라는 이름이 붙었데."

내가 알고 있는 철원의 지명들에 대해서 연우에게 이야기했다. 수학여행을 인솔하는 가이드처럼 연우에게 이 지역의 명소들을 자세히 설명해 주었다.

우리 세대가 모두 사라지고 나면 연우 나이 또래의 세대들이 기성세대가 될 텐데, 어쩌면 내가 전쟁을 겪은 세대들의 이야기를 연우 세대에 말해 줄 수 있는 마지막 사람들이 아닐까? 싶었다. 과도한 비유일지는 모르겠지만 지금의 젊은이들은 우리나라가 1950년 무렵에 전쟁을 겪었는지 전혀 상상도 하지 못할 것이다. 마치 내가 임진왜란을 겪어보지 못한 것처럼. 나와 같은 바로 기성세대들이 꾸준히 알려주어야 할 책무가 있다.

백마고지를 지나 좌측으로는 노동당사 건물이 보이

고 그 맞은편에 철원 역사문화공원이 조성되어 있다. 옛날 1940년대 철원의 모습이 잘 재현되어 있었다. 우체국, 학교, 상점 등등 당신의 건물이 고증을 통해 잘 건축되어 있어 보기만 해도 철원의 당시 모습이 떠오르는 듯했다.

철원 역사공원 내에는 모노레일 승강장이 있다. 이 모노레일로 연우와 소이산 정상에 올랐다. 소이산에 오르는 모노레일은 8명이 탈 수 있는 자그만 것이었다. 그리고 오르락, 내리락 하는 경사가 심한 편이라 안전벨트를 꼭 착용해야 했다.

10여 분간 운행 후 하차하면 소이산 정상에 오르게 된다. 잠시 오르막길을 걷다 보면 미군 막사로 쓰던 건물이 보인다. 이곳에서는 드넓은 철원평야가 한눈에 들어오고 그 북쪽 편으로는 백마고지, 아이스크림 고지, 화살머리고지, 저격능선, 그리고 철원평야 언저리에는 철원평야를 빼앗기고 김일성이 사흘 동안을 울었다는 김일성 고지가 있다. 그 뒤로는 북한의 일부 영토가 어렴풋이 보인다. 물론 비무장지대의 풍경도 멀리나마 뚜렷하게 볼 수 있다.

연우와 이렇게 함께 다니는 것이 언제인지 기억도

잘 나지 않는다. 연우가 어릴 적, "아빠, 아빠!" 하면서 내 손과 옷자락을 잡고 안 떨어지려고 매달리며 따라오던 기억이 선하다. 연우는 그렇게 어른이 되어버렸다. 물론 내가 볼 때는 아직 귀여운 아기에 불과하지만.

"연우야, 철원이 한국전쟁 전에는 북한 땅이었던 것 알고 있었어?"

"아니요. 몰랐어요."

어린 연우가 철원에 대하여 잘 알지 못하는 것은 당연한 일이다.

"저쪽이 비무장지대야. 비무장지대 알지? 그 뒤로 멀리 보이는 곳이 북한 땅이고. 건물도 얼핏얼핏 보이지?"

"네, 북한 땅을 이렇게 가까이 본 적은 없어요."

사실, 철원으로 올 기회는 드물다. 예전 성행했던 안보 관광이나 체험학습이 지금은 거의 없어졌기 때문이다. 주로 남쪽의 경주나 부여, 아니면 제주도, 심하면 외국으로 학생들이 수학여행을 가는 요즘이다. 어찌 보면 철원으로 올 생각을 하는 사람들 자체도 드물다. 명성산의 억새 축제가 유명한 편이라 나이 지긋한 등산

객들이 가을이면 몰려드는 것이 그나마 다행이다.

하지만 이 지역들은 한국전쟁 당시 최전방에 위치하여 북한군이 서울로 들어오는 요충지였다. 이곳을 반드시 지나야 의정부를 통해 서울로 진입할 수 있기 때문이다.

"연우야, 아빠랑 여기 같이 오니까 어때? 어렸을 때 갔던 곳 기억나?"

연우는 마치 고민이라도 하듯 생각에 잠겼다.

"아주 어렸을 때 간 곳은 잘 기억이 안 나요. 바닷가에 갔던 게 몇 번 정도 기억나고. 그때야 어딘지도 모르고 엄마, 아빠 따라다녔던 거잖아요?"

"사실 연우랑 철원에 꼭 한번은 와보고 싶었어. 연우 6살 때, 할아버지랑 할머니랑 삼촌, 숙모랑 같이 여기 왔었거든. 잘 생각 안 나지? 너무 어렸을 때라."

"연우 할아버지께서 군인이셨던 건 알고 있지?"

"네, 그래서 현충원에 계신 거잖아요."

"그래, 할아버지가 그렇게 훌륭하셨던 사실 잊지 마라. 연우가 이제 아빠한테는 유일한 자식이잖아. 할아버지 꼭 기억해."

"당연히 그래야지요. 초등학교 때 우리 반 친구들한

테 엄청 많이 자랑도 했었어요."

"그래, 여기 철원은 아빠도, 할아버지도 많이 인연이 있는 곳이야. 나중에도 꼭 가끔은 찾아주었으면 좋겠구나."

"네, 알겠어요."

"아빠, 그런데 6살 때, 제가 여기 왔을 때 엄마도 같이 왔었어요?"

사실 연우는 자기 엄마를 잃은 이후, 어느 장소를 가게 되면 같은 질문을 했다. 어렸을 때부터 지금까지 한결같다. 오늘도 여지없이 그 질문을 한다. 그만큼 엄마가 그리운 것이다.

"그렇지, 당연히 같이 왔지."

연우는 뭔가 생각에 잠기는 듯하다. 아마 엄마와 함께했던 흔적들을 아로새기고 싶어 하는 눈치다.

아빠를 닮아 겉으로의 표현은 거의 없다. 하지만 조금만 대화해 보면 속이 깊고 엄마에 대한 그리움이 크다는 것을 알 수 있다. 그 모습을 보며 많이 가슴 아팠다. 나도 그렇지만 연우도 평생 자기의 엄마에 대한 그리움을 가슴에 안고 살아갈 것이다. 만약 내가 이 세상을 떠나면 연우는 혼자가 되어버린다. 그것이 지금 현재, 나의 가장 큰 고민이자 걱정이다.

태봉이라는 상호가 붙은 어느 한식집에 들어갔다. 연우와 바깥에서 밥을 같이 먹은 것도 실로 오랜만이다.

"그래도 방학 기간이라 좀 편하지? 여기까지 오는 것도 힘들었을 텐데."

"재미있어요. 아빠랑 데이트하는 것도 기분 좋고."

식사를 마친 후 우리는 태봉대교에서 시작되는 한탄강 물 윗길 트래킹에 나섰다. 물 윗길 트래킹은 태봉대교에서 출발해 은하수교, 승일교, 고석정, 순담계곡으로 이어지는 8km 정도의 코스로 되어 있다.

한탄강 위에 부교를 설치하여 강 위를 걷는 코스인데, 10월에 설치하고 이듬해 봄에 철거한다고 쓰여있다. 지금처럼 겨울이면 얼음이 얼고, 그 얼음 사이사이로 물이 흐르는 풍경을 볼 수 있다. 걷다 보면 얼음이 '쩍쩍 ' 굉음을 내며 갈라지는 소리도 자연의 신비한 모습이다. 물론 조금 겁이 나기도 한다.

연우는 조금 추워 보였다. 출발 전에 상점에서 방한용품을 미리 사 주길 다행이다.

억겁의 시간이 만들어 낸 천혜의 비경을 감상할 수

있다. 일반적인 트래킹 코스와는 달리, 바로 앞에서 주상절리 등을 볼 수 있는 것이 큰 장점이다.

순담계곡에서는 주상절리를 따라 절벽 위를 걷는 잔도 길이 이어진다. 아슬아슬하게 절벽을 따라 설치된 길을 따라 걷고 있으면 긴장감이 느껴진다.

두어 시간 천천히 걷다 보니 어느덧 은하수교(銀河水橋)에 이르렀다. 연우는 역시나 젊은 아이라 은하수교 같은 화려하고 개성 있는 구조물을 좋아했다. 나는 주상절리나 협곡, 폭포 같은 자연물에 관심이 많이 갔었다. '역시 세대 차이가 있구나!'라고 생각했다.

연우는 은하수교에서 연신 사진을 찍어대고 있었다. 투명한 다리 아래로 까마득하게 보이는 한탄강의 비경과 출렁이는 은하수교 위에서의 걷기가 재미있나 보다.

"아빠, 여기 너무 좋아요."

연우는 힘든 트래킹을 마친 후라 더 상쾌한 기분인 것 같았다. 외국에서나 볼 수 있는 은하수교의 풍경에 더 밝은 표정이었다.

"철원에 이런 다리가 있는 줄은 몰랐어요. 사실 철원이 어떤 곳인지도 아빠 때문에 인터넷에서 검색해 본 건데, 우리 또래들은 철원에 대해 잘 몰라요. 올 기회도 거의 없고요."

"그래, 재미있었다니 다행이구나."

내가 가르치는 학생들과 별반 다르지 않은 반응이었다. 철원에 대해서는 거의 알지 못하다가, 철원에 대한 역사적, 지리적 위상을 알게 되면 다시 보이게 되는 그런 모습들. 사람들에게 철원이 더 알려졌으면 좋겠다는 생각을 해 보았다.

〒

'죽는다는 것'에 대해 다시금 생각하게 된다. 문상(問喪)은 오로지 산 자들의 일일 뿐, 저세상으로 떠난 자에 대해 슬퍼하고 생전의 업적을 칭송하지만 떠난 자는 떠난 자일 뿐이며 자신의 삶을 다시 반추하고 인생의 허무함을 다시금 깨닫게 한다.

장례식장은 삶과 죽음이 공존하는 공간이다. 산 자와 죽은 자가 명확히 갈려지고 산자는 죽은 자를 추모한다. 수없이 다녀온 장례식장이다. 갈 때마다 느꼈던 '이제부터라도 인생을 즐기면서 살아야지.'라는 다짐은 장례식장을 다녀온 다음 날이면 언제 그랬냐는 듯이 안

개처럼 사라진다.

산다는 것, 잘 산다는 것은 '잘 죽는 것'이다. 잘 죽기 위해 현실의 삶에 집착하며 버둥거리는 것은 아니던가. 죽고 나면 그 무엇도 의미가 없을 터인데도 그렇다. 늙을 대로 늙어 쭈글쭈글한 주름, 온갖 병들어 썩어가는 육신을 부여잡고 간신히 숨만 헐떡이다 죽어가는 것이 일반적인 죽음의 모습이다.

이에 비해 자살은 능동적인 죽음이자 선택이다.

육신이 온전한 상태에서 선택한 시간에 선택한 장소에서 죽을 수 있다. 그 원인이 어디에 있느냐에 따라 정신은 상처가 날 수 있지만 보이지는 않는다. 산 사람과 다를 바 없는 온전한 육신으로 죽음을 맞이할 수 있다.

자살에 종교적 의미를 부여하고 싶지는 않다. 기독교에서 죄악이라 일컬으며 금기시되는 이유를 제외하면 자살은 그 자체로 다른 의미도 엿보인다.

사실 잘 죽는다는 말도 아이러니 한 말이다. 니체는 '품위 있는 자살'을 권유했다. 정확히는 자살이 아닌 품위 있는 죽음을 권유한 것이다.

품위 있는 죽음, 즉 자살은 명료한 의식을 갖고 자발적으로 선택하는 죽음을 말하는 것일 터이다.

니체는 '자살은 인간이 거둘 수 있는 최대의 승리일 수 있고, 삶에 대한 부정이 아니라 오히려 최대의 긍정일 수 있다.' 고 말한다. 또한 자연사도 사실은 자연스러운 죽음이 아니라 어떻게든 자신의 목숨을 이어가려는 비루함에서 비롯된 선택에 의한 '부(不)자연사'의 일종이며 '자살'이라고 보았다. 즉, 남들에게 민폐를 끼쳐가면서 죽음이 찾아올 때까지 기다리는 것은 '가장 경멸할 만한 조건들 아래서의 죽음이며, 자유롭지 않은 죽음, 제때 죽지 않는 죽음, 비겁한 자의 죽음'이라 주장했다. 더불어, 삶을 사랑하는 사람이라면 우연하거나 '돌연하게' 가 아니라 자유로우면서도 의식적으로 죽는 것을 선택해야 한다. 고 말했다.

자살하면 떠오르는 작품이 바로 괴테의 '젊은 베르테르의 슬픔'이다. 독일어 원제목인 'Die Leiden des jungen Werthers'의 'Leiden'을 슬픔으로 번역했다.

사실 'Leiden'은 슬픔보다는 고뇌, 고통, 번민이란 의미에 가까우며 그 자체로 죽음이란 뜻을 포함한다고 들었다. 베르테르가 처한 상태는 슬픔보다는 확실히 더한 고통이었다. 베르테르가 겪은 죽음에 이르는 고통을 감안할 때 번역본의 제목을 바꿔야 한다는 의견이 적지 않았지만, 이미 굳어진 제목이어서 그대로 사용하고 있다고 한다.

하여튼, 소설 주인공 젊은 베르테르가 못 이룬 사랑으로 소설 속에서 자살한 후 그의 죽음을 모방한 자살이 현실에서 줄을 이었다. 당시 '베르테르 열병(Werther-Fieber)'라 불린 현상이다. 그때 모방 자살한 사람이 2,000명이 넘었다고 한다. 사회학자 데이비드 필립스는 이 현상에 대하여 유명인이 자살하고 나서 모방 자살이 확산하는 사회현상을 '베르테르 효과'라 명명했다.

어느 날 갑자기 들려온 이종사촌 형의 부고는 일요일 이른 아침 어머니의 전화를 통해서였다.

나와 두 살 터울의 사촌 형은 어렸을 적 유독 절친했다. 사는 곳이 멀어서 자주 볼 수는 없었지만, 가끔 우리 집에 머물던 짧은 시간에도 사촌 형을 통해 많은 것을 배울 수 있었다. 그리고 사촌 형을 모델로 삼아 대학 진학의 목표를 세우기도 했었다.

그런 사촌 형이 멀리 이국땅인 필리핀에서 사망했다. 객사(客死)였다. 지난 추석 명절 무렵, 필리핀에 지점장으로 부임하게 되었다는 연락을 받았었다. 회사 회식을 마치고 술에 취해 집에 들어갔는데 다음 날 아침에 사망한 채 발견되었다고 했다.

사촌 형은 지점장 사택에서 머물고 있었고 밤에는 혼자 지내는 터라 정확한 사망원인은 몰랐다. 어머니의 부탁으로 사촌 형수와 급히 필리핀 비행기에 몸을 실었다. 황망한 것으로 보이는 사촌 형수 혼자보다는 내가 동행해 줄 것을 어머니께서 부탁하셨기 때문이다.

"동우야, 아무래도 네가 함께 가 보는 것이 좋겠다."

어머니께서 말씀하셨다.

어머니는 큰 이모님과 각별하다. 다른 형제나 자매들이 몇 있었지만, 큰 이모님과는 특별히 더 우애가 깊었다. 사촌 형이 어렸을 때 사별하시고 홀로 묵묵히 사촌 형을 키운 이모를 어머니께서는 유난히 안타까워하셨다. 이모와 사촌 형에 대한 걱정을 자주 이야기하셨다.

사촌 형은 어려운 환경에도 역경을 이겨내며 스스로의 힘으로 대학 진학과 취업을 이루어 냈고, 나름 큰 회사의 지점장으로 필리핀에 가셨던 것이었다.

우리 세대 자수성가의 대표적인 경우이다. 그런데 사촌 형과 형수의 사이가 좋지 않다는 이야기를 몇 년 전부터 들어 알고 있었다. 가정사라 뚜렷한 이야기를 알지 못했지만 대략 사촌 형이 가족관계에서 힘들다는 내용으로 기억한다.

황급히 사촌 형의 회사 직원 두 명, 그리고 사촌 형수와 함께 비행기에 올랐다.

몇 시간 후 도착한 필리핀 공항에서 쉴 틈도 없이 바로 사촌 형이 모셔져 있는 병원으로 향했다. 시내의 큰 병원이라고는 하지만 사촌 형의 시신은 좁고 너저분한 방안에, 마치 실험실의 실험대 같은 차가운 스테인레스 재질 같은 판 위에 있었다. 방안은 각종 잡다한 물건들로 너저분했다. 우리나라 병원의 영안실을 상상했던 내가 무색해졌다.

"정확한 사인은 부검을 해봐야 알 수 있습니다. 산재처리나 보험 문제 때문에 아마 하시는 것이 좋을 겁니다."

의사는 충고하듯 무감한 표정으로 이야기했다. 안타깝지만 어쩔 수 없이 부검은 해야 했다. 직원 중 한 사람은 우리에게 의사를 물었다. 우리는 동의하였고 부검은 2~3일 걸린다는 이야기까지 들을 수 있었다.

형수는 여느 미망인과 다름없이 훌쩍이며 울었다. 그런데 이상한 느낌이 들었다. 그 울음이 사촌 형의 사망에 대한 비통함이라는 생각이 잘 들지 않았다.

'사이가 좋지 않다는 이야기를 들어서겠지.'

난 혼자 생각했다.

형수는 '죽어서도 이기적이네!' 라는 혼잣말을 했다.

어이가 없었다. 하지만 일단은 아무 말 하지 않고 숙소로 돌아왔다. 그게 어떤 의미인지 궁금하다는 생각을 하면서 잠을 청했다.

며칠 후 사촌 형의 사인을 통보받았다. 급성 심근경색이라고 했다. 가족이 있었으면 응급 치료가 가능했을 터인데 혼자 지내다 보니 밤사이 돌연사한 것이다.

한국에 돌아와 보험처리와 사촌 형 회사와의 산재처리 과정에서 알게 되었다. 사촌 형이 지금까지 어떻게 가정생활을 하며 살고 있었는지를.

사촌 형 가정의 모든 경제권은 형수가 쥐고 있었다. 사촌 형은 한낱 돈을 벌어들이는 기계에 불과했다. 두 딸에게도 아버지로서의 대우를 제대로 받지 못한 것으로 보였다.

몇 년 전 오랜만에 만난 사촌 형이 나에게 이야기했던 기억이 났다. 이혼에 관한 이야기였다.

"그래도 아이들 대학 갈 때까지는 있어야지. 얼마 안 남았으니까..."

형은 씁쓸한 표정으로 힘없이 말씀하셨다.

"그래! 형, 부부가 살다 보면 그럴 때도 있지. 시간 지나면 괜찮아질 거야. 너무 신경 쓰지 마. 우리 나이 남자들 다 그렇잖아."

형의 지극히 개인적인 가정사라 이러쿵저러쿵 이야기할 수 없었고, 그럴 위치도 아니었다. 그냥 잘 될거라는 위로의 말밖에는 할 수 있는 말이 없었다.

형수의 편집증은 생각보다 심했다. 사촌 형이 개인적으로 쓰는 비용까지 모두 형수에게 고지되었다. 사촌 형 자신을 위한 것은 단 하나도 없었다. 열심히 돈을 버는 기계라는 점은 사실 우리 세대 아버지들의 공통적인, 그리고 일반적인 모습일 터이다. 그건 그렇다 쳐도, 그렇게 힘들게 가족을 위해서 돈을 벌어 오는 것에 대한 고마움이나 따스함을 주는 것은 가정에서 반드시 해야 할 일 일진데. 오히려 사촌 형은 가장으로서 받아야 할 기본적인 대우는커녕, 죽음 자체도 자신의 무책임과 이기적인 행태로 비하되어야 했다.

산재와 보험 등으로 인한 보상금이 생각보다 많았다.

형수는 사촌 형의 사망으로 인한 경제적 궁핍에 대한 걱정이 사라진 듯 보였다. 아니 오히려 로또에 당첨된 것처럼 때아닌 돈벼락을 맞은듯했다. 게다가 이혼 이야기까지 오고 갔던 터라 어차피 함께 살 생각도 없었을 테니. 쉽게 말해 돈은 돈대로 다 받고 이혼은 이혼대로, 자신이 원하는 모든 것을 가져버린 것이겠지.

게다가 이혼이라는 낙인이 아닌 남편의 돌연사로 인한 사별은 남들의 눈에도 훨씬 나아 보일 것이다.

원래도 별다른 직업 없이 사촌 형의 월급으로 살았지만, 자기 입으로 앞으로도 일하지 않을 것이라고 공언까지 해댔다.

사촌 형의 장례식장에서는 더 가관인 모습까지 보였다. 도무지 자신과 그렇게 오래 지냈던 남편을 갑작스럽게 떠나보낸 사람으로 보이지 않았다.

경제적인 문제가 해결돼서인지 몰라도 형수는 아무 걱정이 없어 보였다. 심지어 친지 어른들께도 함부로 대했다. 사촌 형 친구나 친지 등 장례식에 참석했던 사람들의 명단도 필요 없다고 하였다. 부의금만 달라고 나에게 말했다.

아무리 이혼을 목전에 두고 돌아가신 분이라고 하더라도 너무하다는 생각이 들었다. 심지어 '저게 정말 사람인가?' 하는 의구심까지 갖게 되었다.

'인간 말종'이라는 말이 생각났다. 싸우거나 남을 욕할 때 흔하게 쓰는 말이다. 그런데 정말 '인간 말종'이라는 단어로 표현하는 것이 오히려 부족하다는 생각까지 들 정도였다.

사촌 형은 가장으로서 자신의 모든 걸 바치며 살았다. 그 어려운 성장 과정을 견디면서도 올바르게 자랐고 또 자신에게 주어진 가정을 위해 자신의 인생을 바쳤다. 그런데 결국 돌아오는 것은 부인과 자식들로부터의 냉대, 그리고 차가운 죽음뿐이다. 게다가 그런 대접을 받았던 가족들에게는 많은 재산까지 남기고 떠났다. 난 생각했다.

'그래도 형은 자식들이 돈 걱정 없이 자랄 수 있다고 좋아하셨을 거야.'

그게 아버지고 가장이다. 사촌 형은 분명히 저세상에서도 그렇게 좋게 생각하고 계실 것이다.

혹자는 가정을 위해 희생하는 것이 마치 가장의 거룩한 덕목인 것처럼 이야기한다. 유교 정서를 바탕으로 성장한 우리 사회에서 뿌리 깊게 자리 잡은 고정관념이다.

가정의 안위를 위해 가장 자신을 일방적으로 희생하는 것은 최근 남녀 역할의 평등을 주장하는 사회적 분위기와는 어울리지 않는다. 만약 그렇다 하더라도 최소한의 가장으로서 대우는 받아야 할 것이다. 누구를 위하여 살 것인지를 선택하는 것은 개인의 취향이지만 남녀 역할의 평등을 주장하는 관념 속에서 가장의 희생을 당연시하는 것은 지극히 어불성설이다.

그렇게 자신을 위한 일을 아무것도 하지 못하고 먼 타국 땅에서 어이없이 생을 마친 사촌 형이 너무 가엾고 슬프다. 허무하다. 우리 40대의 서글프고 전형적인 삶의 모습인가. 오아시스 하나 없는 뜨거운 사막을 혼자 쓸쓸히 걷는 것과 같은 것일까?

제 6화

사랑했던? 사랑했었던?

서현이 철원으로 왔다는 소식은 친구 민혁을 통해서였다. 민혁은 고향을 지키며 사는 몇 안 되는 동창 중의 한 명이다.

오랜만에 만난 그와의 술자리에서 그는 서현이 돌아왔음을 말해 주었다.

"동우야, 서현이 왔던데?"

"서현?"

"그래, 서현. 서현 기억 안 나?"

"서현이 철원으로 왔다고?"

난 의아했다.

'유학 갔던 서현이 왜 서울도 아니고 낯선 이곳으로 갑자기 왔을까?'

민혁은 서현과도 함께 몇 번 여행을 갔던 사이라 서현에 대하여 잘 알고 있었다. 그리고 서현과의 일로 힘들 때 나에게 소주 한잔을 걸치며 위로를 건네던 친구라 우리의 상황을 누구보다도 잘 알고 있었다.

서현과의 마지막을 되뇌어 보았다.

여느 연인들처럼 서로의 안녕을 기원하며 아름다운 이별을 했는지 아니면 소중한 사랑의 시간을 모두 부정하고 원망과 생채기만을 남겼는지.

난 기억을 되살려 보기로 했다.

ㅜ

함께 식사하고 공부 이야기를 나누면서 어느새 서현을 마음에 품게 되었다. 길이 어딘지 모르고 떠나는 여행처럼 그저 행복한 마음 하나로 서현에게 다가갔고 서현도 마찬가지였다.

나의 모든 공간과 시간에는 서현만이 존재했다. 산책하다가도 뜬금없이 그 사람이 생각나서 전화를 기다렸다. 내가 먼저 하지 못하고 서현이 날 찾길 기다렸다.

어느 날 새벽에 걸려 온 서현의 전화는 날 더욱 설레게 했다. 끙끙거리며 아팠던 감기도 안 좋았던 기분도 잠시의 통화로 씻겨냈다.

'사랑한다. 보고 싶다. 단 한 마디로.'

하루의 끝을 그 사람과 하길 원했다. 오늘 하루 중 마지막으로 그 사람과 이야기를 나눈 사람이 나이기를 바랐다. 내 얘기를 들어주는 단 한 사람은 서현이었다. 고마웠다.

우리는 사랑을 하지 않아서 헤어진 것은 아니었다. 그저 우리의 현실이 가로막은 것뿐이다. 사랑을 감정이라고 생각했던 젊은 날의 초상일 뿐이다.

이제야 깨달은 것은 사랑은 감정이 아니라 의지라는 것. 그때와 지금의 내가 달라진 것은 사랑에 대한 정의

이다. 그리고 사랑의 궁극적인 결말은 절대적으로 이별이라는 것이다. 이별은 살아서의 헤어짐일 수도 있고 늙어 죽음일 수도 있다. 하지만 중년이 되어서도 20대 초반에 느꼈던 이별의 상처는 비슷하다. 이별은 익숙해지지 않는다. 죽기 전까지는.

몇 차례의 이별이 너무나 힘들었다.

의도하던 의도하지 않았건, 이별의 원인이 현실이건 마음의 변화건, 이별의 원인과 상관없이 그 상처는 깊고 쉽게 치유되지 않는다.

간질거렸던 연인과의 대화는 현실을 방패로 한 채, 서로의 가슴을 노리는 날카로운 창으로 변해버린다. 결국, 서로에게 수없이 많은 상처를 준 채 모든 게 사라진다. 신기루처럼.

결국, 다음은 누가 더 잘 슬픔을 극복하느냐의 문제가 된다. 한 번도 내가 이별을 먼저 선택한 적이 없다. 그냥 나만 놓으면 끝이 나는 관계에서 그것을 돌려놓을 용기도 박약했다.

아니, 그렇게 하지 못했다. 약했다. 쉽게 상처받고 쉽게 깨지고 쉽게 회복하지도 못했다.

서현과의 마지막도 그랬다. 누군가에게 사랑을 빼앗

졌다는 생각에 괴로웠다. 홀로 뜨거운 사막길을 하염없이 걷고 있었다. 날 잡아줄 사람도, 손을 내밀어 주는 사람도 없었다. 뜨거운 사막의 모래 위에서 한 발을 내딛기도 고통스럽다. 무엇보다 더 힘든 것은 이 길의 끝이 어딘지 모른다는 막연함이었다. 서현과의 이별에 대한 기억은 그것이 모두였다.

이별 후의 시간이 너무 고통스러웠다. 회복이나 추억은커녕 무너져만 가는 정신과 함께 몸도 무너져 갔다. 잠자는 건 생각도 못 할 정도였고 밤이 되면 너무나 고통스러웠다.

혼자 있는 것이 무서웠다. 어딘가로 떠나 행복하게 살고 있을 것이라는 이유 없는 억측과 상상은 밤마다, 아니, 온종일 날 짓눌렀다.

실망과 배신은 막연히 대상 없는 분노로 변질되어 나를 공격적인 인물로 만들어버렸다. 타인이 아닌 나 자신에 대한 공격이다. 결국 무너졌고 수많은 밤이 지나서야 간신히 정상 비슷한 상태로 회복될 수 있었다. 그것도 수많은 생채기를 남긴 채로.

그녀가 철원으로 왔다. 서현이 이곳에 다시 돌아왔다.

"오랜만이네? 잘 지냈어?"

서현은 나에게 그렇게 인사를 건넸다. 거의 20년 가까이 된 시간이 지나서 서현은 나에게 그렇게 어제 만났던 친구처럼, 연인처럼 나에게 무덤덤하게 인사했다.

그 시절 썼던 일기를 꺼내어 다시 읽어보았다. 서현과의 마지막이 도무지 기억이 나질 않았기 때문이다.

ㅜ

 # O월 O일

새벽, 모든 것이 멈춰있는 순간,

이른 저녁에 약을 먹고 잠이 들었다. 항 우울증약과 함께 공황장애를 완화시키는 약을 먹고 누운 지 채 십여 분. 매일 그럴 때면 기절하듯 잠이 들어 버린다.

정신적 충격은 전두엽을 마비시키고 항우울제는 뇌의 구석 구석에 남아 있는 기억들을 삭제시킨다.

그 사람과의 추억도, 안 좋은 일도 구분 없이 제거하는 것이 느껴진다. 뭐든 삭제가 필요한 때이니까 어쩔 수 없는 선택이다.

지난봄의 작고 소중한 서로의 일들을 계속 기억한다는 일은

추억을 되새기는 한편, 또 다른 고통을 선사한다.

언젠가는 잊어버려야 하는 일일 터이다. 하지만 내 생각은 다르다. 인연은 그렇게 끊는 것도 아니고 끊을 수가 없다. 유치한 일이다.

기억들이 어느 순간부터는 또 가물가물해진다. 이러다가 그 사람의 이름까지 기억에서 지워질지도 모른다. 그런데 상관없다. 내 가슴에 그 사람이 남아 있기 때문이다. 머릿속은 온갖 독한 약으로 지울 수 있을지 몰라도 내 가슴속의 뜨거운 마음은 어느 것으로도 상처 낼 수 없다. 약물에 내성이 생겨서인지 조금씩 지난 추억들이 스멀스멀 올라온다.

난 그 시간을 너무나 괴로워하며 시간을 견뎌야 할 것이다. 어쩌면 지금 걱정하는 정도 보다 훨씬 더 힘겨운 시간을 감내해야 할지 모른다. 매일 눈물과 괴로움과 아픔으로 방황하고 있을지 모른다. 벌써 두렵다. 아니 그때뿐 아니라 계속 그런 시간이 될 것이 두렵다. 항시 내려주던 지하철역도, 함께 걷던 학교 주변의 야트막한 야산도 나에게는 너무나 슬픈 장소가 될 것이다.

기억이 살아나고 남아 있다는 사실이 두렵다. 차라리 단기 기억상실증이 걸렸으면 좋겠다. 안 좋은 기억보다 좋은 기억이 더 빨리 지워져 버렸으면 좋겠다.

나도 모르게 떠올라 버리는 좋은 기억들은 날 두고두고 그리움과 안타까움에 괴롭힐 것이다.

젊은 날의 치기 어린 독백이었다.

'눈물이 나건 슬프건 이제 그런 감정보다는 배신, 실망, 후회, 예상한 대로 등의 단어로 내 마음이 변해간다. 그토록 그리워했던 내 시간과 감정은 쓰레기가 되고 아무 일도 하지 않은 시간보다도 못한 가치 없는 시간의 낭비와 초라함만이 남는다.

아침이건 낮이건 밤이건 현실에 고통받으며 견디고 기다리고 그리워했던 시간은 길 위에 나뒹구는 낙엽만도 못하게 되었다.

이제 가슴속에서 올라오는 화를 다스려야 한다. 힘겹게 가치 없이 보낸 시간을 보상받으려 노력해야 할 것이다.'

 # O월 O일

가슴이 찢어진다. 가슴이 찢어진 자리에 또 찢어지는 느낌이다. 찢어진 곳은 상처가 남고 그 찢어진 상처 위를 헤집고 또 찢어진다.

기운 없는 서현의 여윈 목소리는 찢어진 가슴의 상처를 헤집듯이 파고든다.

잠시 스친 순간 자세히 본 그 얼굴이 지워지질 않는다. 홀쭉해진 모습과는 별개로 핏기 없이 축 처진 그 사람의 모습이 안쓰러워 또 가슴이 미어진다.

가슴이 미어지고 찢어지고 너덜너덜하다. 내 가슴이 찢어지는 것 보다 그 사람의 초췌한 모습에 더 마음이 찢어지듯 아린다.

찢어진다는 표현 이상의 것이 있는지 모르지만 지금 내 마음은 갈래갈래 찢어져 그 사람의 마음 조각들 사이에 널려있는 기분이다.

잔혹하리만치 자신을 압박하는 현실의 고통 속에서 아직 손톱만큼은 나의 손길을 느끼고 싶어 하는 그 사람 마음 가장 깊숙한 곳의 그 무엇이 남이 있으리라. 그 사람의 말대로 우리가 싫어서 헤어지는 것은 아니니까 어쩌면 당연한 것일지도 모르겠다.

사랑하는데 헤어지는 것이 어떤 고통이었는지 알 길이 없었다. 특히 둘이 서로 사랑하는데 헤어지는 것이 이해되지 않았다. 현실의 벽에서 고통스러워하는 것. 어쩌면 누군가가 알게 되어서가 문제가 아니라 바로 이 현실이 우리를 깨뜨린 것이다. 현실은 어느 곳에서 어느 때에 우리를 위협하고 있었을 것이다. 어느 한순간에 날카로운 칼날로 우리 둘의 끈을 도려내고자 노리고 있었을 터이다.

날카로운 현실의 채찍은 내 등을 매섭게 때린다. 사랑하는 사람이 담담하게 부모님의 말씀을 따르겠다는 대답이 당연한 말임에도 불구하고 내 등을 찌르듯 파고드는 채찍 같다.

다 안다. 다 알고, 다 이해한다.

그런데 마음이 아니다. 그래도 서현과 최소한 한 평 남짓의 공간은 함께하고 싶었고 약간은 이루어지고 했다. 수많은 망설임과 고민과 괴로움에도 참고 견디고 때로는 슬퍼하면서도 내 진심을 표현했고 그 진심은 메아리가 되어 서현의 심장을 자극했다.

하지만 현실의 칼날 앞에 힘없이 잘려져 나갔다. 내가 노력하고 애절하게 쌓아가던 탑은 채 올라가기도 전에 여지없이 짓밟혔다.

○월 ○일

그래, 꿈을 꾸었나 보다.

창밖으로 새벽녘 어스름한 어둠이 내려 있다.

아직 동이 틀려면 조금 더 시간이 지나야 할 것 같다는 생각을 하면서 창문을 열었다.

어젯밤 꿈을 꾸었다. 그동안의 일이 꿈이었나. 아니면 난 지금 꿈에서 깨어나 있는 건가. 온종일 꿈에서 깨질 못했다. 그냥 지금도 꿈에서처럼 그냥 편하게 이야기 나눌 수 있을 것만 같다.

서현은 담담히 자신의 처지를 말했다. 그 전과 달라진 것이 없다. 당연한 일이다. 이승에서의 한순간과 저승에서의 한순간은 같지만, 억겁의 시간을 차이로 둔다.

나의 뇌를 잠식 해가는 화학적 약물은 이 괴로운 순간에 대한 마지막 도구이다. 뇌가 죽어가는 것이 느껴진다. 그 사람도 신경과 진료를 받는다고 했다. 사람의 마음으로는 자연적으로 치유될 수 없는 일일 터이다. 나도, 그 사람도 마찬가지일 것이다.

화학적 약물은 나의 뇌세포 구석구석을 섬세하게 죽이며 그 사람과의 기억을 지우개처럼 지우려 달려드는 것이 느껴진다. 어제 있었던 일조차 가끔은 흐릿해질 정도로 약물은 나의 정신과 감정을 지배한다.

○월 ○일

멍하니 바라본 하늘은 오늘도 흐렸다.

괜스레 눈물이 볼을 적신다.

이젠 아플 가슴도 없다. 아니 더 이상 버틸 가슴도 없다. 아픔이 아픔을 덮고 덮어서 아픔이 묻힌다.

아픈 것이 무엇인지 모를 만큼 몸에 익숙하다.

아픔은 땅을 덮고 그 위에 큰 나무가 자라서 뿌리로 아픔을 덮는다

그 뿌리 위를 다른 아픔이 덮어 몇 겹이 쌓여 두껍게 쌓인다. 넌 어떤가?

서현, 넌 괜찮은가?

한마디라도 나에게 해줬으면 좋겠다. 그냥 원래대로 돌아간다는 뻔한 원론적인 대답이 아닌, 정말 '넌 어떤가?'

정이라도 떼려는 것일까? 아니면 나한테 피해를 볼까 봐 최소한의 받을 것만 거부하지 않고 받는 것인가?

그냥 궁금하다. 뭐라든 상관없는데 그래도 가끔 궁금하긴 하다. 난 이런데, 넌 어떠냐고. 접히지 않는 마음이야 눈에서 사라지면 피눈물이 나건 뭐가 됐건 사라지겠지……. 그걸 두려워하는 것이 아니다.

그래도 '사랑한다.' 비슷한 말을 굳게 믿었다. 뭐가 어찌되건 사랑 비슷한 마음의 표현은 믿었다. 믿지 않는다고 했지만 믿게 되었다. 왜 그런 말을 나에게 자주 했을까? 물론 그때는 진심이었을까?

조심스럽고 힘겨운 말 한마디 한마디, 한 글자 한 글자.

단 한 글자를 눌러 쓰는 일이 이렇게 힘들지는 몰랐다. 아직은 할 말이 많이 남아 있는데. 그냥 천천히 하나씩 시간이 나는 대로 쓰면 될 줄 알았다. 그런데 지금은 한 줄, 아니 한 글자 쓰는 일도 쉽지 않다. 물론 그 사람이 힘들까 봐서이다.

무슨 일을 해야 하고 무슨 일을 하지 말아야 할지가 눈에는 보인다. 하지만 마음은 스스로 그러한 일들을 부정하고 의심하고 있다. 눈에서 사라져야 생각과 판단이 자유로워질 수 있는 것일까?

 # ○월 ○일

어디서부터 무엇부터 잘못된 것일까?

그토록 다짐하던 아름다운 약속과 다짐들은 어느 한순간, 자신의 것을 지키기 위해 힘겹게 토해내어야 하는 도구가 되어버렸다.

지루할 만치 나누었던 다정한 이야기들은 서로의 가장 약한 부분을 예리하게 겨누는 날카로운 창으로 위협한다.

그래, 어찌 보면 처음부터 상대가 되지 않는 싸움이었다. 나를 돌아서는데 단 하루, 아니 반나절도 걸리지 않았다. 당연한 일이고, 그렇게 될 것이라고 생각하지 못했던 것도 아니다.

사람끼리의 어떠한 만남도 결국은 영원하지 않다는 사실은 알고 있었지만, 너무 허무하다. 허무하다.

푸르렀던 가을 하늘은 검붉은 구름으로 온통 덮여 있는 것처럼 보인다.

마음을 채 알리지 못한 것이 후회스럽다. 나름대로 한다고 한 것이지만 마음은 시간이 지나야만 생겨나는 단계적인 절차가 있다.

처음부터 의논하면서 관계를 풀어갈 생각은 하지 않았다. 하지만 너무 짧은 시간, 내 생각은 그 사람에게 전혀 고려되지 않은 채 일방적인 결단만을 통보받았다.

갖지 말아야 할 마음을 품은 것에 대한 그동안의 불안함을

한순간에 보상이라도 받고 싶은 걸까? 그렇게 그 사람은 짧은 시간에 자신의 세상으로 돌아가 버린다.

어느 순간 숨이 쉬어지지 않은 만큼 고통이 더해지는 때가 있다. 내 주변의 공기는 날카롭게 나를 찌르고 그 가볍던 공기의 무게마저 나의 어깨를 짓눌러 나를 땅 밑으로 묻어버리려는 무서운 존재가 되었다.

쓸모 있을 것이라는 생각으로 산 물건은 잠시도 쓸모를 채워주지 못한 채 버려지는 것처럼, 나를 쏟아부어 영원을 약속했던 사랑은 처음부터 존재조차도 하지 않았던 것인 것처럼 산산이 흩날려 흔적조차 없이 사라져 버렸다. 한때는 전부였던 사람이 별거 아닌 존재가 되어버린 것이다.

ㅜ

어느 책에서 읽었다. 자살 직전 극적으로 살아난 사람들에 대한 연구 결과였다. 그들의 공통적인 외로움, 소외감, 우울감, 버림받음, 절망감, 무력감이었다고 했다. 그리고 그들은 비슷한 내용의 경험담을 털어놓았다.

"처음에는 모든 것이 검다가, 회갈색으로 되고, 나중에는 빛이었다. 빛이 나의 마음을, 마치 잠에서 깨어나듯이 열었다. 아주 평온했다. 내가 다시 물 위로 떠 올랐을 때, 살아있다는 것을 알았다. 다시 태어난 느낌이었다. 물 위를 걸으며 노래하고 있었다. 행복했고 기쁨에 넘쳤다. 나는 보다 높은 영적인 세계가 있다는 나의 믿음을 확인시켜 주었다. 나는 초월적인 경험을 하였다. 그 순간 나는 새로운 희망과 삶의 목표로 충만 됐다."

자살은 터부(taboo)시 되면서도 인간이 결코 거부할 수 없는 문제이기도 하며 인간의 삶과 죽음에 대한 가장 충격적인 문제, 본능을 거스르는 비자연적이고 비정상적인 행위이다.

쇼펜하우어는 삶에의 의지에 대해서 '왜 살아야 하는가'에 대한 이유를 찾는다. 맹목적이고 혼란스러우며 이해할 수 없는 하나의 충동, 그것이 삶에 대한 의지라고 말했다.

그는 자살은 오히려 적극적이고 격렬한 의지의 표명이라 역설했다. 나는 살기 싫은 것이 아니라 '이렇게는 살기 싫은 것이다.'라고 주장하면서, 이런 말을 남겼다.

살고자 하는 의지를 거스르는 것, 살고자 하는 본능을 억누르는 것은 너무나 어려운 일이다.
그렇기에 자살한 자를 연민하는 것일지 모른다. 그 사람이

느꼈을 고통과 고뇌의 크기를 짐작하고서.

결국, 고통을 견디지 못하고 극단적인 선택을 하였다. 수면제 30알을 한꺼번에 들이켜버렸다. 난 죽으려고 하지 않았다. 단지 그냥 이 고통에서 벗어나고 싶었다. 며칠이 지나 깨어난 눈앞에는 친구 민혁이 서 있었다. 고통에서 벗어나는 것도 실패해 버렸다.

나를 가장 잘 안다고 생각하는 사람은, 세상에서 가장 큰 사랑을 주는 동시에 가장 처절한 아픔을 줄 수 있는 사람이었다.

이렇게 나의 첫 번째 사랑은 잘 모르는 누군가를 알고 싶어 시작되었고, 첫 번째 이별은 믿었던 사람이 너무도 낯설다고 느껴지는 순간 날 찾아왔다.

그때의 나는 비합리적 신념에 철저히 빠져있었다. 한 번의 실패가 마치 내 인생 전체의 실패로 믿었다. 언제나 절대적이고 완벽해야 한다는 강박관념과 믿음을 갖고 있었다. 모든 사람에게 인정받아야 한다고 생각했으며 만약 그렇지 못하면 살아갈 가치가 없는 존재가 된다고 믿었다. 서현의 배신 아닌 배신과 그로 인한 이별은 나를 우울, 불안, 자살 등의 어두운 용어와 등치를 만들어 버렸다.

결국, 서현은 대학원 졸업과 동시에 내가 아닌 다른 사람을 선택하고 날 떠났다. 덕분에 사랑에 대하여 부정적인 이미지를 형성한 채 슬픈 20대를 보내게 되었다.

ㅜ

며칠이 지났다. 그동안 서현에 대한 기억을 조금씩 되찾고 있었다. 시각장애인이 물건을 더듬거리며 찾아내듯이 조심스럽게 기억을 만지며 살피고 있었다. 쉽지 않았다.

기억을 되살린다는 것은 어떤 장소나 어떤 상황에 직면했을 때 연상되는 경우가 많은데, 혼자 머릿속으로만 기억을 살려낸다는 것은 여간 어려운 일이 아니었다. 그렇지만 이상하게도 서현과의 기억을 되찾고 싶었다. 가뜩이나 알츠하이머와 우울증이 머리를 괴롭히고 있는데, 오래된 기억까지 재생시키는 일은 단순하지 않았다.

얼마 지나지 않아 다시 만난 서현의 얼굴은 창백했다. 야위어진 하얀 손이 피아니스트와는 어울리지 않을 정도로 휘어 있었다. 하얀색 상의의 옷깃이 손목을 지나 손등의 절반 정도까지 덮었다. 보이지는 않지만 가느다란 손목과 팔이 상상되었다. '아픈가?'

"오랜만이네? 많이 야위었다."

"그렇지 뭐."

"철원에는 어떻게 오게 되었어?"

난 넌지시 물었다.

"그냥 별 이유는 없어. 공기 좋은 곳에서 좀 쉬려고."

헤어졌던 연인과의 우연한 조우는 어색하다. 물어볼 말이 있었는데 막상 입에서는 나오지 않았다.

"남편은 아직 미국에 있고 지금은 아이만 데리고 있어."

'그래. 그 남편, 그 남편 때문에 너와 헤어졌지.'

예전의 기억이 떠올랐다. 원망과 배신을 가슴 언저리에 품었을 때를.

서현과 이야기를 나누고 다시 기억을 더듬었다.

"우리 이제 그만하자. 나 미국으로 떠나. 결혼할 사람 생겼어."

서현과 헤어지던 날, 전날 저녁때만 해도 다음 주 데이트 장소와 함께할 일에 대해 대화를 나누었고 나와 결혼하고 싶다는 이야기도 했었다.

그런데 단 하루 만에 그녀는 나에게 일방적인 이별을 통보했다.

그 사실을 받아들이지 못하고 부정했다. 서현의 집 앞을 매일 가서 기다렸다.

서현은 나에게 같은 말만 되풀이했다.

“나 더 이상 할 이야기가 없어. 네가 무슨 말을 하든.”

그렇게 서현은 놀이터에서 잠시 이야기를 나눈 후 집으로 들어가 버렸다. 그날 서현의 집 앞에서 밤을 지새웠다. 선 채로 담배를 두 갑을 피우며.

겨울비가 내렸다. 가로등 불빛 사이로 겨울비가 유성처럼 빛을 발하며 떨어져 내렸다. ‘잊어야 한다는 마음으로’라는 어느 발라드 가수의 노래를 수십 번 들으면서 나의 ‘부정’을 믿고 싶었다.

아침에 집을 나선 서현과 마주쳤다. 놀란 표정이었다. 서현은 날 데리고 해장국집에 갔다. 우리는 밥을 먹으면서 한마디도 하지 않았다.

그때 느꼈다.

'이 사랑은 끝이 났구나.'

'내가 무얼 하던 이 사랑은 끝이 났구나.'

서현의 어머니에게 연락이 왔다. 어느 커피숍에서 만났다. 서현의 어머니는 날 경멸하듯 쳐다보며 그만하라고 말했다. 모멸감을 느꼈다. 드라마처럼 돈을 주며 나에게 조용히 가라는 것도 아니었다.

서현의 인생에 걸림돌이 되지 말라는 경고와 철저한 무시였다. 그렇게 서현에게 순식간에 버림받았다. 서현이 떠난 게 아니라 서현에게 내가 버림받은 것이었다. 최소한 난 그렇게 생각했다. 내가 선택한 이별은 아니었다고.

'그런데 서현이 왜 이제야 나에게 나타났을까? 그것도 이 철원까지?'

서현을 만난 이 순간을 '부활'의 네플류도프가 카츄사를 재판장에서 만난 것과 같다고 생각했다. 서현은 나와 헤어진 이후부터 지금, 이 순간까지 어떻게 살았을까? 뭔지는 정확히 모르지만 지금 이 순간이 카츄사에 대한 재판 비슷한 절차가 이루어지는 것이라는 생각을 하게 되었다.

사랑은 서로에게 일체감을 느끼고, 서로를 아껴주는 아름다운 감정일진대, 안타깝지만 그런 감정이 오래 지속되는 것은 쉽지 않다. 영원히 사랑하겠다는 맹세를 지키기 어렵다. 왜 그럴까? 톨스토이는 사랑의 메커니즘에 대해서 생각하게 해주었던 사람이다.

'부활'에서 네플류도프는 동물적인 본능으로 카츄사를 유혹해서 그녀의 순결을 빼앗는다. 그 후 헤어진 카츄샤는 어떤 상인의 독살 사건에 연루되어 재판장에 선 것이다.

로버트 스턴버그는 친밀감, 열정, 헌신이라는 트라이앵글로 사랑이라는 감정을 바라보았다. 네플류도프는 열정이라는 감정으로 사랑을 시작했으나 친밀감과 헌신에는 이르지 못했다. 어쩌면 서현에게 네플류도프가 겪었던 실패를 그대로 재연했을지도 모른다.

열정만 있는 사랑은 오래가지 못한다. 열정은 대략 2~3년이면 그 수명을 다한다. 그래서 열정만 있는 사랑은 공허할 수밖에 없다. 그리고 그런 열정을 가진 사람들은 오래지 않아 지쳐간다. 뜨겁게 불타오르고 난 뒤 하얀 재만 남는 사랑. 그것이 열정만 있는 사랑이다. 그 시절, 아마 열정만 있는 사랑만 했을 것이다.

누구나 사랑에 빠지게 될 때는 영원을 꿈꾸지만, 세상에 영원한 것은 하나도 없으며 사랑 또한 예외가 아니다. 사랑을 시작하는 순간 그 사랑은 이미 마지막을 향해 달려가는 달리기 선수가 돼버린다.

서머셋 모음(William Somerset Maugham)은 소설 '레드'에서 사랑의 비극에 대한 이런 말을 남겼다.

"사랑의 비극은 죽음이나 이별이 아닙니다. 그 두 사람 중에서 한 사람의 마음이 변하는 데 얼마나 걸린다고 생각하십니까? 과거에는 잠시도 눈을 뗄 수 없을 정도로 진심으로 사랑했지만, 이제는 다시 보지 못하게 되어도 괜찮아진 여인을 바라보는 일은 끔찍하게 괴롭습니다. 사랑의 비극은 관심이 사라지는 것입니다."

내 궁금증은 조금씩 피어올랐다. 아직 서현에게 관심이 있는지 생각해 보았다. 영원히 가슴속에 묻었던 사랑의 실체가 이제야 내 눈앞에 나타나 저렇게 앉아 있는 지금의 장면이 기이하긴 했다.

더 신기한 것은 그토록 보고 싶었던 사람이 내 앞에 나타났는데, 아무런 감정이 되돌아오지 않는다는 것이다. 첫사랑은 가슴속에 묻는다고는 하지만 이렇듯 손톱만큼도 감정이 생겨나지 않을지는 전혀 예상하지 못했다.

"좀 걸을까?"

서현은 걷기를 제안했다. 난 그저 따랐다.

한탄강 강가를 따라 여름의 향취가 맴돈다. 신선한 풀내음이 코를 찌른다. 늦여름의 석양은 한탄강을 휘감아 돈다. 붉은색이다.

얼마나 걸었을까? 발걸음을 잠시 멈추고 하늘을 향해 고개를 들었다. 그래도 조금씩 이야기를 나누는 동안 서현에 대한 기억이 서서히 살아나기 시작했다.

어느덧 고석정이라고 쓰여있는 이정표가 보인다. 고석정 아래로 내려가는 길은 가파르다. 굽이치는 한탄강 줄기가 발아래로 내려다보인다. 고석정은 일반적으로 생각하는 정자(亭子)만을 일컫는 말이 아니다. 주변의 바위와 현무암 계곡 모두를 아우르는 말이다. 평지에서 계단을 따라 아래쪽으로 내려갔다. 다람쥐가 우리 앞에서 길 안내를 하듯 신나게 뛰어다닌다.

"값싼 서정(抒情) 같은 건가?"

조금은 유치한 생각이 들었다. 옛사랑과 늦여름 적막

한 고석정 주변을 걷는 것은 고전적인 드라마의 한 장면이었다.

단풍이 막 지려고 푸른색의 나뭇잎들은 쥐어짜듯 녹색의 물을 뱉어내려고 하고 있었다.

"남편과 아이는 잘 지내?"

아무렇지도 않은 것처럼, 예전의 일을 다 이해한다는 말투로 물었다.

"그냥 잘 지내. 아이는 아들 하나인데 지금 고등학생이야."

"남편은?"

"서울에서 병원 의사로 일해."

"지금은 그럼, 떨어져 있는 거네?"

"그렇게 됐어."

서현은 무덤덤하게 말했다.

난, 순간 무언가 문제가 있다는 것을 눈치챘다. 아이도, 남편도 그리고 지금 이 철원에 와 있는 것도. 무언가 연유가 있을 것이라는 생각이 들었지만 더 이상 묻지는 않았다.

서현과의 몇 차례 만남은 내 전의식 속에 숨어있던

첫사랑을 떠올려 주었다. 내 전의식은 서현과의 대화와 일기를 통해 수면 위로 떠 올라 버렸다. 하지만 그렇다고 해서 서현과 헤어짐의 순간이 아름다운 추억으로 떠오르지는 않는다. 그냥 파도에 따라 수면 위아래로 떴다, 가라앉기를 반복했다. 그렇게 아름다운 옛사랑의 추억과 모진 수모의 아픔은 공존하고 있었다.

제 7화

지연(至緣), 인연에 이르다

내 이름은 지연(至緣)이다. 지연은 한자로 '인연에 이른다.'는 의미이다. 지금 사립대에서 국문학 교수로 일한다. 어려서부터 문학에 관심이 많고 나름으로 재능도 있었다. 중고생 시절부터 문학 관련 공모전에서 여러 차례 수상했었다. 그 덕에 대학도 특기자 전형으로 진학했다. 그리고 30대 초반, 대학 전임교수로 임용되어 교수직을 시작하게 되었다.

아직 미혼인 덕분인지 아침 7시 30분이면 연구실로 출근한다. 그리고 저녁 시간도 대부분 연구실에서 보낸다. 동료 교수들은 '노벨 문학상이라도 받아야 한다.'며 우스갯소리를 하지만 지금의 삶에 스스로 만족한다.

조동우 교수님과 인연을 맺은 것은 우연이었다. 함께 프로젝트를 하면서 가까워졌다. 특별히 무언가를 함께 하지는 않았지만, 이상하게 회의에서 볼 때면 그 사람이 편하게 느껴졌다. 그리고 무엇보다 같은 대학 출신이라는 공통 분모는 그 사람에 대한 경계심이나 어색함을 지우기에도 충분했다.

역사학과와 국문학과 교수연구실은 같은 층에 있어서 자연스럽게 자주 대하게 된다. 사실 프로젝트를 하기 전에는 인사만 주고받는 사이였다. 조동우 교수는 말이 별로 없는 편이라 편하게 대할 수 있는 선배는 아니었다.

어느 날, 우연히 마주친 그에게 말했다. 난 성격이 밝은 편이라 이야기를 잘하는 편이다.

"선배, 오늘 저녁때 시간 되면 식사 같이해요."

몇 번 만났던 이후부터는 그를 선배라고 부른다.

그도 나를 '지연 씨'라고 그나마 조금은 편히 대할 수 있는 사이가 된 것 같다.

다른 교수들과 함께 식사를 한 적은 몇 번 있었지만 이렇게 단둘이 식사를 한 것은 처음이다. 처음 그 사람의 얼굴을 자세히 볼 수 있었다.

'이 사람은 어떤 분일까?'

막연한 호기심이 나도 모르게 생겼다.

"학교 일은 어떠세요?"

나의 형식적인 질문에 그는 시큰둥하게 대답하는 것처럼 느껴졌다. 지난번 식사 자리에서 그가 김치찌개를 잘 먹는 모습이 기억났다.

"김치찌개 먹을까요? 선배 좋아하시는 음식인 거 같은데."

"좋지."

"소주도 간단히 한잔하면 안 돼요?"

"술을 좀 마시나 보네? 난 술을 거의 못 해."

"그래도 그냥 조금만 마셔요. 반주로 조금만요."

그는 나의 메뉴선택에 만족한 듯 보였다. 식사 자리에서 프로젝트에 관한 이야기와 학생들 가르치는 일

등등, 사적인 이야기라기보다는 동료들이 흔하게 할 수 있는 이야기를 나누었다. 그도, 그리고 나도 편하게 대화를 이어갔다.

선배라는 호칭을 허락받고 하는 것은 아니었지만 그는 그 호칭에 적당히 만족해하는 눈치다. 선배라고 부르고 나서부터는 훨씬 사이가 가까워진 느낌이다.

서울역 부근에서 학술대회를 마치고 우연히 그와 남산타워에 올랐다. 그는 마치 남산타워에 무슨 추억이 서려 있는 듯해 보였다.

'상처하신 아내와 함께 한 곳인가? 첫사랑 누군가와 함께 갔던 곳인가?'

케이블카 탑승장에는 매점이 있었다. 난 하트모양의 과자를 사서 선배에게 주었다.

"선배, 이거 드세요."

"웬 하트 과자야, 애들처럼."

선배는 특유의 차가운 모습으로 내가 주는 과자를 건네받았다.

'그래도 주는 사람 성의가 있는데 좀 받아주는 척이라도 하면 안 되나? 하여간 저 선배는 꼭 저렇게 얘기

하시더라. 마음은 안 그러시면서. 하긴 저런 게 저 선배의 매력이긴 하지.'

그 과자를 선배에게 꼭 주고 싶었다. 어린아이들처럼 재미있게 애교도 부렸다. 그럴 나이가 아닌 것은 알고 있는데 그의 앞에서는 이상하게 어린아이 취급받고 싶었다.

그렇게 가끔 그와 소소한 대화를 나누곤 했다. 물론 아직 따로 사적인 이야기를 자주 할 만큼 가까운 사이는 아니다. 그저 그렇게 내 얘기를 들어주고 나도 그의 이야기를 들어주는 '공감' 그 이상도 그 이하도 아닌 사이다.

학교 안의 어느 벤치에서 영화에 관한 이야기를 나눈 적이 있었다.

수많은 영화에 대한 그의 통찰과 영화를 해석하는 능력은 탁월했다. 그의 이야기가 감명 깊었다고나 할까? 그의 인생을 바라보는 관점이 느껴졌었다.

"공부하기도 바쁠텐데 언제 그 많은 영화를 다 보신 거예요?"

"그냥 틈틈이 시간 날 때마다. '혼영'도 자주 하는 편이고 OTT로도 계속 봐. 같은 영화를 몇십 번 반복해서 보면 어느 순간 영화의 대사가 외워지고, 배우의 표정이나 말투에서 감정이 느껴지게 되던데. 한두 번 봐서는 감독이 말하고자 하는 주제를 파악할 수 없어. 그냥 아무 생각 없이 재미로 보는 영화는 제외하고. 대부분 영화는 나름의 메시지가 담겨 있지. 그게 궁금하고 알고 싶어서 자꾸 보는 것 같아."

"어떤 영화가 나름 기억에 남으세요?"

"좀 오래 지났지만 '슬라이딩 도어즈'라는 영화가 기억에 많이 남아. 우리 인생이 그런 것 같아. 이 지하철을 타느냐 타지 않느냐에 따라서 전혀 다른 인생이 되듯이 일순간의 선택이 무엇이었느냐에 따라 그 결과는 완전히 달라져 버리지. 그런데 영화처럼 그렇게 가정할 수는 없지. 역사에 가정이 없듯이 우리 삶도 똑같아."

"그리고 '포레스트 검프'라는 영화도 나름 인생에 대해 생각하게 만드는 영화이고. 전쟁영화도 좋아하는데 전쟁이라는 상황보다는 죽음과 삶이 순간적으로 갈리는 장소에서 인간이 느끼는 감정이 매우 궁금했거든. 죽음을 앞둔 병사는 무슨 생각을 하고 있을까 하는 의문을 계속 갖고 영화를 보곤 하지."

선배는 영화 이야기를 밤새워서 할 기세였다.

선배의 이야기를 들으니 시간 가는 줄 몰랐다. 그냥 재미있었다. 내가 봤던 영화건 보지 못했던 영화건 상관없이 선배의 영화에 대한 자기 생각은 예상보다 훨씬 깊이가 있었다. 아마도 수없이 많이 보고 생각하고 고민하였으리라. 그 흔적이 여실히 느껴졌다.

ㅜ

아버지께서 2년여 간의 투병을 마치고서는 돌아가셨다. 난 형제, 자매가 하나도 없다. 나 혼자이다. 어머니께서도 아버지 병간호로 지치셨고 당연히 경황이 없으시다. 내가 아버지를 모셔야 할 처지였다. 막상 아버지께서 돌아가시니까 너무 슬프고 당황스러웠다.

그에게 전화로 도움을 요청했다. 이내 달려와 준 그는 마치 자기 일인 것처럼 나를 도와주었다.

"선배, 너무 고마워요."

사실 상처하신 아내가 그를 불렀던 호칭이 '선배'라는 것은 한참이 지나서야 알게 되었다. 어쩌면 이 사람은 나를 통해서 먼저 가신 아내에 대한 기억을 떠올렸을지도 모른다.

그 사람, 그리고 친구분과 함께 술자리를 했다. 동송읍은 그가 주중에 머무는 집이 있는 곳이다. 그의 집 부근으로 찾아갔다. 교통사고를 내고 힘들었을 것이다. 위로 할 겸, 나의 일을 도와주었던 감사의 표시도 할 겸, 그리고 걱정되는 마음을 한 아름 안고 그곳으로 향했다.

평소에 술을 거의 드시지 않는 분이 꽤 많은 양의 술을 드셨다.

'그래, 많이도 힘드시겠지.'

어느덧 그를 걱정하는 마음까지 품고 있었다. 친구분이 옆에 계셔서 조금은 다행이다. 취해도 데려가 줄 수 있는 사람이 있으니까.

그의 친구는 약간 취한 듯이 누군가에 관한 이야기를 연신 해댔다. 전혀 모르는 이야기라 귀를 기울이고 들었다. 결국 그 주인공의 정체가 궁금해졌다.

"서현 씨가 누구예요?"

"동우 첫사랑이요, 근데 그 여자가 철원에 얼마 전에 왔거든요."

그는 아무 말 없이 소주만 마시고 있었다.

'뭐지? 이 질투 비슷한 감정은. 지난번 내가 다른 남자와 저녁 식사하는 것을 본 그의 감정과 비슷한 건가?'

난 자세히 묻지도 못했고 그들은 자세히 말하려고 하지도 않았다. 어쩌면 그냥 글자 그대로 구태의연한 과거의 첫사랑 이야기일지도 모르겠다. 그런데 이상하게 신경이 자꾸 쓰였다.

술자리에서 먼저 일어났다. 집에 와서도 자꾸 마음에 잔상이 남았다. 그 사람의 첫사랑이 지금 다시 나타났다? 그런데 왜 내가 마음이 쓰이는 건가?

결혼이라는 것에 대하여 구체적이고 심각하게 생각해 본 적이 아직 없다. 워커홀릭에 빠진 사람처럼 직장에 온 신경과 시간을 할애해서이기도 하지만, 아직 결혼을 생각할 만큼 마음이 가는 사람을 만나지 못한 것도 그 이유이다.

하지만, 그에 대한 생각은 지금까지와는 달랐다. 그런 사람과는 결혼해도 되지 않을까? 라는 생각이 들었던 적이 가끔 있다. 함께 이야기를 나누면 편안하고 나를 대하는 태도는 시큰둥한 듯 보이지만 그 사이사이는 너무나 자상하다. 그에게서 지금까지 느껴보지 못했던 특별한 편안한 마음을 느낀다. 특히, 그와 함께 자잘한 이야기라도 나누고 난 직후에는 더 그렇다.

그는 나와 선호하는 취미가 비슷하다. 나도 영화, 음악을 좋아한다. 그는 '시월애' 나 '동감' 같은 시간을 초월하는 사랑과 만남, 공감을 주제로 하는 영화를 좋아한다고 했다. 만날 때마다 영화나 음악 이야기를 많이 했다. 공감대라고나 할까? 사람을 이해하는 데에는 공감대가 형성되는 것 이상의 좋은 수단이 없다.

"현재와 과거를 수직선으로 타임라인을 그렸을 때, 난 현재의 한 점에 있는 거지. 그 점을 수직선의 왼쪽 방향으로 옮기면 과거의 그 시간으로 갈 수 있다고 생각해."

"지연 씨 인생 타임라인에서 현재의 점과 나의 현재의 점이 서로 만난다면 우린 좋은 인연이 될 거야. 만약 우리가 수평선의 타임라인을 갖고 있다면 만나는 것은 불가능할 테고, 수직으로 이루어져 있다면 그 접점에서 어쩌면 더 좋은 인연으로 만날 수 있겠지."

문학적인지 철학적인지, 아니면 역사학자라서 그런지 시간의 흐름으로 인연을 재해석 해내는 것이 새로웠다.

문학적 감성으로 인생을 해석하기에 바쁜 나로서는 신선한 해석이라는 생각이 들었다.

'이 사람, 볼수록 멋진 사람이네'

이런 생각이 드는 것을 막을 수 없었다.

그와 이야기를 나눌 때면 그의 상처를 어루만져 주고 싶다. 그의 흉터를 재생시키고 싶다. 마음에 무언가 보이지 않는 상처를 안고 살고 있는 사람으로 보였다.

ㅜ

그에게 편지를 썼다. 하지만 보내지는 못했다. 부치지 못한 편지만큼 아쉬우면서도 소중한 것이 있을까?

- 5월 중순부터 틈틈이 적어 놓았었는데, 몇 개를 삭제했는데도 양이 제법 많아졌네요.

그냥 예전 같다면 이런 마음 내색하지 않는 걸 자존심으로 생각했던 것 같은데. 말로 뱉으면 가치가 조금은 떨어지는 듯 착각했던 것도 같은데 그런 낱말에는 충분함을 담지 못하는 결격 사유가 있다고도 생각했던 거 같은데. 그런 게 정말

자존심이 아니라는 생각이 들었어요. 그래서 제가 사랑이라는 감정에 서툴게 살지는 않았는데 그런 유사한 표현은 많이 아끼면서 살아왔다면 조금씩 바뀌어 가는 스스로를 발견하고는 합니다.

꼭 드리려고 끄적였다기보다는 스스로의 마음이 긴가민가해서 쓰던 시간들도 있지만 다시 보니 선생님께 드려도 뭐 후회는 없을 것 같아 전송 버튼을 누르려 합니다. 사람 마음은 반반이라 누르자마자 후회할 수 있겠지만 그냥 우리 마음이 유사할 때 너도 나 같다는 그런 마음 느껴보는 것도 나쁘지 않을 것 같아서 나중에 드리려면 아예 영영 제 컴퓨터에서만 잠자게 될 것 같아 어느 쪽이 더 나을지 판단하지 않은 채 그냥.

ㅜ

그때는 늘 시간은 많다고 생각했고 내가 더 좋아하면 언제든 할 수 있다고 생각했고,

굳이 하지 않아도 마음이야 전해지거나 아니면 굳이 하지 않을 정도로 내 마음이 그 단계가 아니니까 당연하다고 생각했어요.

근데 지금은 조금 많은 것들이 달라요. 왠지 시간은 짧을 것 같고 한정된 시간 속에서 나만 마음 씀을 받아서는 나중에 진짜 후회할 것 같아서

내가 좋아하는 사람이라면 상대방이 지나가듯 말한 것들 중에서도 내가 소소히 할 수 있는 일이라면 기쁘게 할 수 있지 않을까

그게 내가 할 수 있는 최선이지 않을까 그런 생각이 자주 들어요.

ㅜ

요즘은 날씨를 떠올릴 때 비를 빼놓고는 불가능할 정도로 아침이면 비 저녁이면 비. 잘 때까지 비가 마구 쏟아지는 소리를 들으며 잠이 들곤 하네요.

가끔 한 사람을 만나서 그 사람에게 익숙해지고 그 사람이 좋아지며 변하는 수많은 것에 대해 생각하게 됩니다. 며칠 전 농담처럼 말했듯이 가끔씩 핸드폰이나 이어폰 같은 작은 소품들을 배 위에 올려놓고 있는 저를 보며 쿡쿡 웃음이 납니다. 사실 기분상 끌릴 때나 향이 유난히 좋을 때, 그럴 때만 커피 즐기고 제게 소중한 아이템까지는 아니었는데 한 사람을 만나고 커피가 더 좋아졌습니다.

어디 그뿐일까요. 음악, 글, 습관처럼 굳어가는 그리고 새롭게 눈뜨게 되는 세상의 다른 세계.

그 사람은 종종 쓸쓸한 이야기를 합니다. 아니 정확히 말하자면 쓸쓸하게 이야기를 합니다. 기쁜 얘기, 행복한 얘기,

오글거리는 칭찬, 이런 것도 하지만 담담한 얘기... 뭐 다 좋지만 반 농담 반 진담으로 하는 공격성 멘트보다 한 사람을 더 슬프게 하는 것은 쓸쓸하게 전해오는 진심이라는 것을 그는 알고 있을까요?

ㅜ

언젠가 이야기한 적 있었던 것 같은데 저는 원래 한 사람이 한 사람을 좋아한다는 이유로 그 사람의 삶에 많이 관여되는 것에 대해 다소 냉소적이었어요.

아마 이기적인 성향이어서겠지만 내가 그가 좋아서 자발적으로 바뀌는 거나 행동하는 건 상관없지만 누가 날 바꾸려고 하거나 뭐라고 하는 거 자체를 싫어해서, 입에 발린 소리 하는 스타일 못지않게 그런 스타일도 근처에 둔 적이 없는 것 같아요.

근데 요새 다 깨지는 듯. 그런 그에게 짜증 내는 게 아니라 바꿀 수 없는 것까지 바꾸고 싶어지는 게 있는 거 보면 마음의 상태에 따라서 자기 스타일이고 뭐고 바뀌나 봅니다. 그 정도로 내 마음이 많이 기울어 있다는 것이겠지요? 오늘은 그가 기분이 어떨까?

우리 사이에 있는 바꿀 수 없는 미해결 상태에 대해 오늘은 무던한 상태일까, 마음에 안고 더 예민해지는 날일까 그런 것들에 대해 궁금해지고 영향받고 이런 내가 참 낯설지만. 그게 지금이 나인걸요.

너무 낯설어하거나 의아해하는 대신 오늘에 충실하기로 했답니다. 내일로 오늘을 저당 잡히기는 싫어서요.

제 좌우명은 '나를 사랑하자' 에요. 요새는 뭐 좌우명 같은 거 떠올리며 산 지도 한참 된 것 같지만 간만에 떠올려 봅니다.

언젠가 대학원 지도 교수님께서 제게 이런 얘기를 하신 적이 있어요. "넌 참 노여움을 타지 않는 제자구나." 이런 뉘앙스의 말씀. 다감한 칭찬도 많이 해 주셨지만, 지도하시는 학생들을 강하게 키우려는 온갖 모진 발언에도 제가 의연히 대처하는 모습을 보고. 그런 태도가 옳다 그르다 할 수는 없겠지만 아마 제가 약간 나르시시즘적인 성향이 있어서 그런 것 같아요.

민감한 성향에도 불구하고 살아가는데 스트레스 적게 받기는 유리하더라구요. 말보다는 그 이면을 더 생각하게 된달까요. 그 이면이 진정 상처를 주려고 하는 것 아니라면 과하지 않다면 형식을 이해하려는 편인 것 같아요.

ㅜ

요새는 눈이 잘 때도 마음의 애틋함이 불침번을 서고 있는 것 같네요. 이 얘기 저 얘기 주저리 썼지만 진짜 하고 싶은 이야기는 힘내라는 얘기였어요. 그 아픔 섣불리 이해한다 말할 수 없는 사람이라 그것도 조심스럽지만 모든 걸 같이 하지 않더라도 가능한 게 조금은 있을 거 같은데, 그러면 좋겠는데.

힘든 거 많아도 가을도 오고 내일은 또 해가 뜨고 하니 아직은 소중한 시간이 선생님에게 제법 많이 있으니 그렇게 웃고 기운 내 봐요. 행여 내가 위로가 될 때가 있으면 너무 많은 생각 말고 그냥 잠시라도 함께 해요. 내가 묻지 못하고 당신이 이야기하기 꺼려진다는 그 모든 것들도 긍정적인 방향으로 되었으면 하는 바람을 가져 봅니다.

이 많은 편지를 그에게 전달할 수 있을지 궁금해졌다. 만약 그에게 전해주었다고 가정한다면, 그는 나에게 어떤 반응을 보였을까 궁금했다.

어렸을 적 혼자서 몰래 좋아했던 교생선생님에게 쓴 편지를 결국 전하지 못했을 때가 기억났다.

제 8화

복수? 우연?

이틀 전에 왼쪽 사랑니를 위아래로 모두 빼버렸다. 심한 두통에 가려서 잘 느끼지 못했던 치통이 견딜 수 없이 힘들어 오랜만에 치과를 찾았다. 어렸을 때나 나이를 한참 먹은 지금이나 치과에 가는 일은 항상 겁이 나고 조금이라도 미루고 싶다. 아니, 그냥 치과에 가지 않고 진통제만 먹고 그냥 견디고 싶은 마음이 굴뚝같다.

사랑니를 빼고 나오면서 왜 입 안쪽 깊이 있는 이를 '사랑니'라 말하는지 갑자기 궁금해졌다. 여러 이유가 있을 터이다. 어렸을 때는 사랑니를 빼고 나면 앞으로는 사랑하지 못하는 거라 믿었다.

사랑니는 가장 뒤에 어금니를 일반적으로 가리키는 말이다. 가운데 앞니를 기준으로 하여 좌우로 8번째 자리에 있다. 음식을 씹는데도 그다지 필요하지 않고 양치질할 때 칫솔이 잘 닿기 어렵다. 덕분에 쉽게 충치가 된다. 한마디로 없어도 되고 있어도 되는 존재지만 썩기는 가장 쉬운 치아이다. 그런데 왜 이름이 사랑니일까? 사랑니의 어원이 궁금했다. 그리고 어금니, 송곳니와 달리 왜 '사랑'이라는 말이 치아의 이름에 붙는지도 알고 싶어졌다.

초등학교 때 어머니에게 억지로 끌려가다시피 하면서 간 치과에서, 의사는 무시무시하게 기다랗고 번쩍거리는 펜치 모양의 도구로 내 이를 사정없이 뽑아 버렸다. 긴 의자에 누워서 천정에 보이는 눈부신 조명에 나도 모르게 눈을 감게 된다. 옆자리의 이름 모를 환자가 내뱉는 고통을 호소하는 절박한 신음은 나의 두려움을 배가시킨다. 이미 시작하기도 전에 두려움에 주눅이 들어 버린 상태이다.

그때 느꼈던 '으드득' 하는 느낌이 지금도 잊히지 않는다. 길쭉한 의자에 누웠을 때 이미 두려움은 극에 달했다. 마취 덕분에 통증이 심하지는 않지만 망치나 펜치로 내 치아를 비틀거나 부서뜨리는 충격은 머릿속까지 고스란히 전달된다. 내가 할 수 있는 일은 그저 왼손을 들어 불편함을 의사에게 알리는 일뿐이다.

눈을 가려서 더 무서웠다. 마취를 할 때 "따끔합니다."라고 말하는 간호사의 말은 거짓이었다. 마취 주사의 날카로운 바늘은 연하디 연한 내 잇몸을 찢어 놓았다. 그것은 따끔함이라는 단어로 표시할 만한 정도의 간단한 고통이 아니었다. 의사는 발치 도구로 이를 살며시 빼는 것이 아니었다. 도구를 비틀면서 이를 힘껏 뺐다. 마치 두꺼운 각목에 박힌 대못을 잡아 사정없이 뺄 때처럼.

그때의 기억 때문에 지금도 치과 진료는 쉽지 않다. 단, 나이를 들면서 느낀 것은 이가 아프면 조금이라도 치과에 빨리 가서 치료를 받아야 한다는 점이다. 왜냐하면, 어차피 상한 이는 언젠가는 빼야 한다는 것을 경험으로 이미 깨달았기 때문이다.

사랑니는 그냥 발치만 하면 될 줄 알았는데, 의사의 말을 들어보니 치과에서는 나름대로 큰 수술이었다. 그리고 사랑니를 뽑은 후에 여러 합병증으로 사망하는 경우도 있다는 말로 나에게 겁을 주었다.

사랑니를 빼는 느낌은 다른 치아를 빼는 것과는 사뭇 달랐다. 빼는 느낌은 '뽀각뽀각', '뿌드득'하며 두드려 부수는 느낌이 머리까지 그대로 전달되었고 통증도 훨씬 심했다. 게다가 발치하고 난 후에도 출혈과 통증으로부터 쉽사리 회복되지 않았다.

그렇다고 해서 사랑니에 통증이 있는 상태로 계속 둘 수도 없었다. 사랑이 그런 건가? 빼야 할 건 빼야 하는가? 사랑하지만 통증이 있으면 더 아파도 빼버려야 하는가? 라는 의문을 품어보았다.

자의던, 타의던 두 사람의 사랑하는 관계가 끝나고 나서, 그 아픔이 잘 치유되는 것은 사랑니를 뽑은 후에 합병증 없이 온전히 회복하는 것과 같을 것이다. 쉽지는 않지만 그렇다고 전혀 불가능한 것도 아니다. 약을 먹든, 휴식을 취하던 발치하고 난 후의 치유 방법은 결국 사랑이 끝난 후의 각자가 해야 할 일과 다름이 없다. 술을 먹든, 다른 일에 집중하던, 아니면 두꺼운 솜을 물고 몇 시간을 억지로 버티는 것처럼 불편하지만 시간에 맡겨 자연치유를 하던 그 방법에 대한 선택은 결국 각자의 몫일 터이다. 이미 끝나버린 사랑은 내가 무슨 짓을 하든 돌이킬 수 없는 법이다.

사랑니가 아픈 채 시간이 지나면 멀쩡하던 사랑니 옆의 치아가 차츰 썩어가는 것을 엑스레이 사진으로 확인했다. 사랑니 충치 바로 옆의 이는 신경이 있는 부분 바로 위까지 썩고 있었다. 어차피 얼마 지나지 않아 그 치아도 빼지 않으면 엄청난 통증이 몰려올 것이 뻔하다. 썩은 사랑니를 제거하는 것 외에는 특별히 다른 방법이 존재하지 않는 것이다.

그냥 나름대로 사랑니의 정의를 내려보았다. '사랑니'는 '사랑', 또는 '사랑하는 사람'처럼 함께 있을 때에는 좋지만 없다고 해서 불편한 존재는 아니며, 그 기간이 다 되어 떠나야 할 때는 깊은 고통을 주지만 결국은 빨리 잊어야 할 존재이다.

제 역할을 하지 못하는 사랑니는 잠시 아프더라도 어떻게든 빨리 빼야 한다. 사랑하는 사람도 그럴 것이다. 사랑한다고 해서 다 나에게 좋은 영향만을 주는 것은 아닐 것이다. 자칫 미련을 두고 그 사랑을 붙잡고자 어설픈 노력을 무리해서 한다면 그 상처와 고통은 내 마음속의 멀쩡했던 다른 곳으로까지 침범하여 치명적인 악영향을 줄 것이다.

헤어짐의 고통보다 더 큰 고통이 어디 있을까? 이루어지지 않거나 절대 이루어지지 못하는 사랑은 이미 썩어 버린 사랑니처럼 더 큰 고통을 감내하고서라도 제거해야 하는 것은 아닐까. 그 제거의 고통이 내 머리에 고스란히 전해와도…… .

며칠 후 민혁을 만났다.

"병원은 잘 돼?"

민혁은 철원에서 동물병원을 운영하고 있다. 의례적인 안부를 물었다. 의례적인 질문이지만 사실 민혁은 부양해야 할 가족이 많다. 어머니, 아버지, 와이프, 그리고 아들 셋. 병원이 잘 운영되어야 가정을 원활하게 꾸릴 수 있다. 쉽지 않은 일이자 고된 일이다.

민혁은 학창 시절부터 공부를 곧잘 했다. 서울에 있는 수의대를 무사히 마치고 이곳 철원에서 자신의 이름을 딴 간판을 내고 수의사로 일한다.

어릴 적부터 강아지를 그렇게 좋아했다.

"서현이가 병원으로 강아지를 데리고 왔더라고.

이름을 보니까 서현이 맞아. 네 안부를 묻더라. 그래서 알게 되었어."

"참! 너 서현과 헤어질 때 너무 힘들어했었잖아. 지금 보니 어때? 예전 생각이 좀 날까?"

"아니, 특별히 그런 건 없어 다 지난 일인걸. 서현도 나도 다 가정 갖고 아이도 있는 걸 뭐. 그냥 드라마에 나오는 이야기랑 비슷한 느낌이지."

사실 약간 놀랐지만, 겉으로는 무덤덤한 듯 대답했다.

민혁은 연신 소주를 따라주었다. 동태찌개는 매콤하니 안주하기 좋았다.

"그래도 너희들 서로 사귀었던 것 장난 아닌 것 같은데. 하긴 시간이 많이 가긴 했지. 너 그때 죽는 줄 알고 너무 놀랐어.

너 업고 병원까지 뛰느라 나도 죽는 줄 알았다. 신발도 못 신고 맨발로 뛰어갔으니 나도 신기하지, 어디서 그런 힘이 나왔는지."

민혁은 기억이 아직 선한지 생생하게 그때의 상황을 이야기했다. 특전사 예비역답게 당당하고 아직도 탄탄한 체격을 가지고 있다. 아마 그날 민혁이 날 찾지 않았으면 난 어떻게 되었을지 모른다. 민혁을 보면 미래에 내 무덤가를 내려다보며 지키고 있을 소나무라는 생각이 든다. 약하디약한 나를 가까운 주변에서 지키듯 넌지시 내려다보고 있는 가지가 넓게 뻗어 있는 소나무.

민혁에 대한 이야기를 하지 않을 수 없다. 고등학교 2학년, 봄 햇살이 눈에 부시도록 따가운 오후였다.

좀 이르기는 하지만 진정 봄이 왔다는 것이 느껴지는 토요일 오후, '사람의 아들'이라는 소설을 읽게 되었다. 유명한 작품이긴 하지만 그동안 시간이 없어서 읽지 못한 것이 부끄러울 만치 나에겐 신선한 충격을 주는 글이었다.

이 소설의 주인공 '조동팔'이라는 사람이 낯설게 느껴지지 않았다. 민혁은 조동팔과 비슷했다. 그는 철저한 혼자였다. 많은 아이들과 친한 것 같으면서도 그는 혼자였다.

1학년 때에야 어떻든 그와는 별로 친하지 않아서인

지 그에게 그다지 관심을 느끼지 못했다. 내가 본 그는 그냥 운동을 좋아하고 독서를 취미로 하는 평범한 고등학생이었다.

그도 나에게 별다른 호감을 느끼지 못했는지 서로 친하게 지내지는 못했다. 그냥 학급 임원으로서 학급 일에 대해 이야기를 나누는 정도였다. 그와 친해지기 시작한 것은 고등학교 2학년 때부터였다.

학기 초의 어느 보충수업 시간이었다. 그와 나는 다른 반이었기 때문에 서로 만날 수 있는 시간은 보충학습 시간과 야간 자율학습 시간이었다. 그와 우연히 서로의 연예, 사랑 이야기가 화제로 떠올랐다.

그는 자신의 사랑, 연애 이야기를 해주었다. 나도 그의 이야기를 여러 날 이어서 듣게 되었고 차츰 그와 친숙하게 지내게 되었다. 그런데 이상하게도 그와 서로의 이야기를 하면 할수록 내가 손해를 보는 느낌이 들었다.

그는 자신의 사생활을 이야기하면서도 더욱 숨어드는 것 같았고 나는 더욱더 드러나는 것 같았다. 지금 와서 생각해 보니 당시 그의 고향이나 가족관계조차 모르고 지냈었다.

나는 계속 야릇한 감정에 싸여 있었다. 다른 친구들과는 친하고도 그런 것쯤은 모를 경우가 허다했는데도 유독 그에게만 신경이 쓰이는 것이 이상했다.

특히 그와 소설에 관해 이야기를 나누게 되면 언제나 초라해졌다. 문학에 관심이 있었던 나였기에 그런 자존심 비슷한 감정은 더해만 갔다. 이상했다. 우리가 이야기를 나누었던 주제들은 문학에 웬만큼 관심이 있지 않고서는 대부분 모르는 내용이었다.

어찌 보면 모르는 것이 당연했다. 그런데 이상하리만치 내가 초라해지는 것이 느껴졌다. 그와 친하면 친해질수록 더욱 안개 속에 드리워지는 것을 느꼈다.

그렇게 친하고도 먼 사이였다. 민혁은 결국 문학 전공을 접고 수의사의 길을 택했다. 의외였다. 민혁은 그런 친구였다.

"그런데, 동우야! 서현 이야기 얼핏 들었는데 좀 힘든 상황인가 봐."

약간의 호기심을 느꼈다. 옆자리 손님들의 소란한 대화 소리가 일시 정지되는 느낌이었다.

"남편이 좀 이상한 사람이라는데, 서현은 아이랑 그

사람 피해서 여기로 왔고, 요즘도 가끔 와서 괴롭히나 봐?"

"의사라고 하지 않았어? 너도 그때 들었었잖아?"

"그렇긴 한데, 내가 보기에는 폭력이 있는 거 같아. 서현은 못 견디고 나온 것이고, 아이랑 간신히 빠져나와서 피아노 학원 하면서 살고 있다네"

"……"

"하긴 요즘 화이트컬러 범죄가 오히려 더하기도 하니까."

약간 놀랐다. 그리고 복합된 감정이 느껴졌다. 날 버리고 가더니 그렇게 살려고 그랬나 싶었다.

"글쎄, 별다른 감정을 못 느끼겠네? 좋다고 해야 할지 불쌍하다고 해야 할지, 오래전 헤어진 여자 친구에 대하여 무슨 말을 하겠어."

이야기를 이어갔다.

"사실, 잘 살긴 바라지는 않았어. 속 좁은 내 마음 때문인지. 오히려 잘 안되길 은근히 바랐던 적도 있었지. 어쩔 수 없잖아? 그때는 서현이 날 버리고 갔다고 생각했으니까."

"그러게, 너 그렇게 힘들게 하고 모질게 끊더니 벌

받은 거지 뭐!"

그 와중에도 민혁은 내 편이다.

ㅜ

어느 날, 대학원 강의를 마치고 귀가하는 중이었다. 어제 눈이 내려선 지 아직 도로가 미끄럽다. 평소 잘 듣는 음악을 들으며 운전했다.

가로등 불빛이 흐릿하고 진눈깨비가 약간 흩날렸다. 철원의 날씨는 예측하기가 어렵다. 겨울이면 추운 날씨 덕에 도로는 한껏 얼어있다. 미끄럽다. 4월까지도 채 눈이 녹지 않은 채로 있는 곳도 많이 있다. 이른바 블랙아이스는 이 지역처럼 차들의 통행이 많지 않은 도로에서 잘 나타나기 때문에 미끄럼 사고의 위험이 상당히 높다.

사거리에서 좌회전을 하려고 신호를 기다렸다. 이윽고 신호를 확인하고 엑셀을 힘껏 밟았다. 왼쪽으로 돌자마자 있던 횡단보도에 검은색의 무언가가 순간적으로 눈에 보였다.

브레이크를 급히 밟았지만 이미 자동차는 내 의지와

상관없이 미끄러지며 옆 차선을 넘어 빠르게 회전하고 있었다.

손쓸 시간도 없이 그 물체를 치고 말았다.

"어?"

쿵! 하는 큰 소리가 들렸다. 둔탁한 느낌이 핸들을 잡은 두 손에 고스란히 전해졌다.

사람이었다. 좌회전하는 중이라 세게 부딪친 것 같지는 않지만, 내 손에 느껴진 충격은 꽤나 컸다.

가슴이 두근거렸다. 길에는 차나 사람이 아무것도 보이지 않았다. 정신을 차리고 차 문을 열고 밖으로 나왔다. 길에 쓰러져 있는 한 남자를 보았다. 머리에서 피가 나고 있었고 술 냄새가 많이 났다.

너무 놀라 손이 부들부들 떨리고 다리는 잘 움직이지 않았다. 어떻게 해야 하지 생각도 하지 못할 정도로 당황스러웠다.

조금 마음을 진정시키고 경찰에 바로 전화했다. 뺑소니범이 될 수는 없었다. 그리고 분명히 좌회전 신호를 확인한 후 움직였다. 정확히 말하면 전적으로 내 과실은 아니라고 생각했다. 민혁에게도 서둘러 전화해서 도움을 청했다.

경찰은 생각보다 일찍 도착했다. 한적한 시골이지만 때마침 주변을 지나던 순찰차가 있었나 보다. 119구급차도 바로 와서 쓰러진 남성을 태우고 병원으로 향했다. 경찰에게 나의 인적 사항을 말하곤 민혁과 함께 집으로 돌아왔다. 경찰에서는 내일 다시 연락을 준다고 했다. 사립대 교수인 내 신분을 확인해서인지 특별한 이야기는 없고 블랙박스 메모리만 빼앗듯이 가져갔다.

태어나서 처음으로 사람을 쳤다. 몇 년 전에 길 가운데로 갑자기 뛰어나온 고라니를 쳐본 적은 있었다. 시골에서는 흔한 일이고 살짝 쳤기 때문에 무언가를 차로 치었을 때의 순간적인 공포까지는 느끼지 않았었다.

간신히 집에 도착하였고 민혁의 걱정과 위로를 들으면서 함께 밤을 보냈다.

바로 다음 날 지연에게서 전화가 왔다. 일이 있어 내 연구실로 왔다가 조교에게 이야기를 들었나 보다.

"선배, 괜찮으세요? 다치신 데는 없으세요? 걱정돼서 전화했어요."

전화기 너머 지연의 목소리에는 나에 대한 진심 어린

걱정이 담겨 있었다. 대략 어제 일을 이야기해 주었다.

"일단 마음 잘 추스르시고요. 제 친구 중에 변호사가 있는데 연락해 볼게요. 혼자보다는 훨씬 도움이 되실 거예요."

지연이 고마웠다. 나를 진심으로 걱정하는 것도, 급히 연락해 주는 것도 모두 고마웠다. 나이가 들어도 누군가의 도움은 항상 기운이 난다. 젊었을 때는 나이가 들면 어떤 일이든 혼자 해결할 수 있고 또 해결해야 한다고 생각했었다. 그런데 나이가 들어도 어린아이들처럼 다른 이의 도움이 필요할 때가 있었다. 결국 사회적 관계 속에서 살아야 하는 인간의 속성이 그대로 나타나는 것이겠지.

이틀이 지났다. 병원에 들렀다. 내가 차로 친 사람은 술을 먹고 무단으로 횡단보도를 건넜다는 말을 전해 들었다. 그리고 머리를 크게 다쳐 아직 의식이 없다는 이야기도 듣게 되었다.

그런데, 병원 복도에 서현이 서 있었다. 서현은 사고를 당한 남자의 보호자로 병원에 온 것이다. 그 남자는 서현의 남편이었다. 남편이 서현을 찾아 이곳까지 왔다가 술을 먹고 내 차에 치인 것이다. 서현과 무슨 말을 나누어야 할지 몰랐다. 남편의 가정폭력을 피해서 철원에 왔다는 말을 이미 민혁으로부터 전해 들은 터라 그들의 상황을 대략은 알고 있었다.

난 예기치 못한 상황에 당황스러웠다.

"서현아, 무슨 말을 해야 할지 모르겠다."

'……'

서현은 말이 없었다.

서현의 표정에는 복잡한 감정이 보였다. 내가 자신들의 상황을 알고 있다는 것을 아직은 모르고 있는 듯했다. 하긴 나에게 자세히 털어놓을 만큼 좋은 일은 아닐 테니까.

"우리, 내일 만나서 이야기하자."

서현도 당황스러운지 아직은 말할 수 있는 상황이 아닌 듯 보였다.

다음날 서현을 다시 만났다. 카페 야외 테라스의 테이블 지붕으로 '투둑!' 하는 빗소리가 들렸다. 한두 방울씩 내리던 겨울비는 이내 차분히 내려 바닥을 적셨다. 빗소리에 가려 서현의 말소리가 잘 들리지 않는다.

서현은 체념한 듯 자신의 이야기를 나에게 힘없이

전했다.

의사인 남편의 폭력과 집착을 견디지 못해 아이를 데리고 도망치듯 이곳에 온 이야기와 그 남편이 서현을 다시 행패를 부린 이야기, 그리고 접근금지 처분이 내려졌는데도 계속해서 자신과 자신의 아이에게 나타나서 괴롭다는 이야기. 그리고 그 남편이 내 차에 치여 머리를 많이 다쳤고 어쩌면 정신을 회복할 수 없을지도 모른다는 이야기까지.

서현은 머리가 복잡하다는 듯한 표정을 지으며 말했다.

"그런데, 이상하지. 슬퍼야 할지 좋아해야 할지 모르겠어."

"어쨌든 아직은 법적인 부부인데, 나도 어떤 감정을 가져야 할지 도무지 모르겠다. 미안해."

서현은 애써 담담하게 말했다. 머그컵을 감싸 안은 그녀의 양손이 가늘게 떨리는 모습이 보였다.

"아니야. 그렇게 미안하지 않아도 돼. 그런데 학교 일하는 건 괜찮겠어?"

"뭐 어떻게든 되겠지. 그런데 그걸 떠나서 나도 힘이 들긴 하다. 사람을 쳐서 저렇게 만든 데다가 그게 또 네 남편이라니."

서현의 상황을 이미 들었던 터라 담담하게 이야기했다. 괴롭긴 하지만 마음 한편으로는 서현을 도와준 것 같기도 했다. 그것이 어떤 방식이 되었건 간에.

보험회사의 보험처리 문제와 경찰 조사, 학교에서의 행정절차 등을 처리하느라 몇 주가 흘렀다. 아직도 지연의 남편은 의식을 회복하지 못했다고 했다. 자칫 오랜 시간 동안 그런 상태로 지내게 될지도 모른다는 말을 병원으로부터 들었다.

'그래, 난 그냥 쓰레기를 없앤 것이다.'

스스로 자위하기로 했다. 서현에게 들었던 남편의 악행은 상상한 것 이상이었다. 하루가 멀다고 폭력을 일삼았고 아이에게까지도 피해를 주었다고 했다. 아이는 정신과 진료까지 받을 정도로 남편의 폭력과 집착은 도를 지나칠 정도로 행해졌다.

미국을 도망치듯 빠져나와서 이곳에 왔지만 여기까지 쫓아와서 괴롭히고 있었다고 했다. 서현을 처음 만났을 때 보았던 창백하고 파리한 얼굴의 이유를 그때서야 깨달았다.

서현의 마음을 생각해 보았다. 날 버리고 선택했던 사람의 악행은 서현에게 어떤 마음이 들게 했을까? 나에 대해 어떤 생각을 하며 살았을까?

내 마음을 돌보기에 앞서 서현의 마음을 돌보아야겠다고 생각했다. 서현의 마음에 난 상처를 돌보는 것이 필요하다는 생각일 것이다.

가벼운 감기 정도만 앓아도 불편함을 느끼지만 우리는 정작 마음의 병은 깊어지는지에 관심이 없다. 어쩌면 나도, 서현도 서로의 관계에서 생겼던 마음을 이제는 돌보아야 하는 나이가 되었을지도 모른다.

제아무리 중요한 것이라 해도 그것이 별문제가 없으면 사람들은 관심을 두지 않는다. 서현이 그런 상황이 되었다는 것을 알고서야 그에게 관심을 두기 시작했다. 얄팍한 이기주의일까. 우연인지 몰라도 사랑했던 사람을 괴롭힌 사람에게 미필적 고의 또는 우연으로 가장한 복수를 했을지도 모른다.

Ŧ

지연이 집 부근으로 찾아왔다. 이래저래 그 사건이 어느 정도 마무리되었을 때였다. 마침 민혁도 시간이 되어 함께 만났다. 두 사람은 나를 걱정해 주는 공통점을 가졌으며 나를 위로하기 위해 찾아온 것이다.

지연은 민혁이 학교로 날 찾아왔을 때 잠시 인사를 한 사이라 특별히 어색하지는 않았다. 우리 셋은 철원 동송읍의 한 허름한 선술집에서 오래된 친구들처럼 편하게 이야기를 나누었다. 동송읍은 철원군에서 가장 큰 읍 단위 지역이다. 북한의 평강군에 있는 오리산의 화산 폭발 때문에 용암대지로 이루어진 땅이다.

철원의 유명한 관광지인 담터계곡, 직탕폭포가 가까운 곳이다. 지금 인구도 거의 2만 명 정도라고 알고 있다.

이곳 인근에서 군 복무를 할 때는 동송읍이 거의 군 장병들로 가득 찼었다. 식당이며 술집이며 다방이며 군인들 천지였다. 그런데 지금은 평일이라 그런지 장병들의 모습들이 보이지 않는다. 철원은 예로부터 그렇게 군사도시였고 군부대를 기반으로 경제생활이 이루어지던 곳이다.

최근의 스트레스 때문인지 마음을 터놓을 친구들 덕분인지 몇 순배 술이 자연스럽게 돌았다. 민혁과 지연도 마치 오래전부터 알았던 사이인 듯 자연스럽게 이야기를 주고받았다.

술을 즐겨 하진 않지만, 마음에 맞는 사람들과는 그

래도 가끔은 마시기도 한다.

몇 잔 순배가 돌자, 지연이 민혁에게 물었다. 어색한 분위기가 많이 녹은 듯해 보였다.

“민혁 씨, 동우 선배 학창 시절 때 어떤 사람이었어요?”

“왜 갑자기 그런 질문을 해?”

“그냥 궁금해서요.”

민혁은 장난기 어린 목소리로 말했다.

“그냥 교실에 있는지 없는지도 모를 조용한 학생이었지요. 공부야 당연히 제일 잘했고.”

“그런데, 딱 하나 기억나는 일이 있어요. 동우에 대해서요.”

지연은 궁금한 듯 민혁의 말이 이어지기를 기다렸다.

“아침 방송 조회 시간이었어요. 동우는 책을 읽고 있었고 매번 그러듯이 방송으로 교장 선생님의 훈화가 나왔어요. 담임 선생님은 학생들에게 책을 읽거나 다른 짓을 하지 말고 교장 선생님 말씀을 들으라고 하잖아요?”

“그런데 동우가 계속 책을 읽고 있으니까 담임이 동우 책을 빼앗아 찢더라고요. 사실 좀 심하긴 했죠. 그런데 갑자기 동우가 벌컥 하면서 큰 소리로 담임 선생님께 항의하더라고요."

"뭐라고 하셨는데요?"

지연이 계속 추임새를 넣었다.

"제가 허튼짓한 것도 아니고 공부하고 있었는데 그렇게 잘못입니까? 하고 큰 소리로 화를 내더라고요."

"사실, 담임 선생님도 할 말이 없었겠지요. 너무 하신 건 누가 봐도 맞으니까요. 그러시곤 아무 말 없이 교실을 나가시더라고요."

민혁은 장황하게 그 당시 장면을 설명했다.

"우리는 조금 통쾌하기도 했지요. 담임 선생님이 사실 조금 비인격적으로 학생을 대할 때가 많았거든요. 그런데 그것보다도 내성적인 동우가 그렇게 대항하는 게 더 신기했어요."

"그러네요. 선배님 그런 모습은 저도 한 번도 못 봤고 그럴 수 있을 거라고는 생각도 못 했는데. 평소에는 거의 말씀도 안 하시고 목소리도 작으시거든요. 감정표현도 거의 없으시고."

"아! 그러고 보니 최근에 그런 일이 하나 있었긴 하네요."

아마 지연의 부친 장례식 때를 말하는 것 같았다.

"평소에는 점잖다가 뭔가 잘못되거나 자신이 부당하다고 생각이 되면 못 참으시는 거 같아요. 좋게 말해서 정의롭다고나 해야 하나?"

지연은 나름대로 나의 성향에 대해 정의했다.

"그렇지요? 대학교에서라고 별반 다르겠어요?. 동우 저 녀석 성격 뻔한데. 후훗!. 그래도 생각이 깊고 자기 확신이 서지 않으면 선불리 행동으로 옮기지는 않아요. 신중하더라고요. 어렸을 때부터 보면."

"네. 지금도 동우 선배 신중하고 사려 깊어 보여요. 단지 좀 무뚝뚝해서 다가가기 쉽지는 않지만, 어느 정도 말문이 트면 얘기도 잘하시고요."

"그래요? 저 녀석 웬만큼 친하지 않으면 얘기 거의 안 하는데? 지연 씨에게는 많이 하나 봐요?"

"네, 저한테는 많이 하시는 편 이예요. 한강 공원까지도 같이 걸어간 적도 있는데요?"

"그럼, 저 녀석 정말 지연 씨하고 친한 거예요. 저놈은 누구랑 같이 걷는 거 제일 싫어해요. 다섯 발자국도 같이 안 걸으려 한다니까요? 지연 씨 대단하신 분이네요. 저놈을 데리고 그렇게 멀리 걸으시다니."

민혁은 재미있다는 듯이 크게 웃었다. 우리 분위기도 서먹했던 처음보다는 많이 훈훈해졌다.

난 멋쩍게 말했다.

"난 기억이 하나도 안 난다."

주변의 손님들도 각자의 테이블에서 조금씩 취했는지 목소리들이 높아져 갔다. 사실 내가 술을 마시고 이야기할 때는 주변이 조용한 것보다 조금은 시끌벅적할 때가 더 편하다.

지연이 목소리가 술기운 때문인지 몰라도 조금 커진 채, 또 궁금한 듯 물었다.

"그런데, 선배. 서현 씨하고는 어떤 사이세요?"

민혁이 술에 취해서인지 나와 서현의 옛이야기를 꺼낸 것을 지연이 우연히 듣게 된 것 같았다.

"뭔 사이는 뭔 사이야. 둘이 사랑했던 사이지."

민혁은 꼬부라진 혀로 허공에 대고 혼잣말을 지껄였다. 그런데 그 혼잣말의 성량이 너무 컸다. 취한 사람들의 전형적인 주정이다.

난 시큰둥하게 말했다.

"다 지난 일이야."

지연은 재미있다는 듯이 재차 물었다.

"정말 결혼까지 하려던 사이였어요?"

"그래, 그때는 그랬지……."

민혁이 거짓말을 곁들여 거들었다.

"둘이 잠시 만난 사이에요. 나도 자세히는 모를 정도로."

사실 민혁은 서현과 나 사이를 가장 잘 아는 사람이다. 그런데 자세한 이야기를 하지 않는 것은 왜였을까? 어찌 됐든 지연 앞에서 서현과 난, 그냥 철모를 때 겪었던 순수한 첫사랑 정도로만 정의되었다. 그냥 친구들 사이에서 취하면 자랑이라도 하듯 떠벌릴 수 있는 정도의 추억 정도.

그런데 지연은 그 말을 어떻게 받아들였을까? 내가 의도한 정도의 관계로 받아들였을까? 이상하게 지연의 마음에 신경이 쓰였다.

물론 지연은 내가 상처한 사실은 알고 있었다. 그런데 서현의 이야기를 한 적은 한 번도 없었다. 그녀가 철원에 왔다는 이야기 또한 한 적이 없었다. 아니, 할 필요도 없었고 지연과는 그런 지극히 사적인 이야기를 나눌 사이는 아니라고 생각했다. 아니나 다를까, 지연은 질문에 꼬리를 물고 이어갔다.

"선배의 첫사랑 그녀가 지금에서야 찾아왔다니. 조금 신경 쓰이네요? 한 번도 그런 얘기 한 적 없었잖아요?"

지연도 약간 취한 것처럼 보였다. 취중 진담이라고 했다. 지연은 평소에 하지 않았던 말투로 나에게 이런 저런 이야기를 하고 있었다.

나도 약간은 취한 터라 그 내용이 무엇인지는 정확히 기억이 잘 나질 않는다. 그런데, 나에 대한 감정을 지연은 처음으로 술의 힘을 빌려 털어놓았다는 생각을 한 것은 간신히 기억났다.

지연을 택시에 태워주고 민혁과 술자리를 이어갔다.

시간이 꽤 지나 술기운이 떨어진 건지 민혁은 다시 말을 이어가기 시작했다.

"동우야! 지연 씨 너 많이 좋아하는 것 같더라."

"아니야, 술에 취해서 그런 거지."

난 일단 부정했다.

"술에 취했으니까 그런 말 할 수 있는 거지, 맨정신에 그런 말 하겠어? 게다가 아직 미혼이라며, 보니까 공부만 하느라고 연애는 젬병인 거 같던데."

"아직 그런 이야기를 나눈 적이 없어. 그냥 친한 정도이지."

"그건 모르겠는데, 하여간 내가 보기에는 그 여자 널 꽤 좋아하는 것 같던데?"

민혁은 같은 말을 반복해서 해댔다. 취한 게 틀림없다. 취한 사람의 특징인 같은 말을 계속했다. 그래도 민혁에게 좋지 않은 주사(酒邪)는 없다. 저러다 또 금방 제정신으로 돌아올 것이다.

"김칫국 마시게 하지 마. 이 나이에 그게 쉬운 일이냐? 게다가 연우는 어떻게 하고, 지연 씨가 그런 거 감내하고 나랑 결혼이라도 하겠냐?"

난 허허 웃으며 무덤덤하게 말했다. 목소리가 꽤 커졌나 보다.

"야, 이놈아, 어린 나이들도 아닌데 그게 무슨 상관이야. 둘이 서로 마음에 맞으면 되는 거지. 연우도 이제 다 컸는데 뭘."

"너도 이제 새롭게 시작해야지 늙어 죽을 때까지 제수씨 생각만 할 거냐? 앞날이 창창한 놈이, 너 좋아해 주는 사람이면 웬만하면 받아들여. 괜찮은 여자 같은데 뭘 고민해?"

"그게 그렇게 단순한 일은 아니야. 그리고 아직 내가 확실히 마음을 결정하지 못했어. 지연 씨에게 내가 남은 평생을 같이하고 싶은 마음이 생겨야 재혼을 하던지 뭘 하든지 하지."

"하여간, 심각하게 좀 생각을 해 봐."

민혁은 걱정 반, 진심 반으로 충고 아닌 충고를 해 주었다.

"사실, 지금 네 말 듣고 처음 지연에 대해 생각해 보는 거야. 그전에는 그런 생각 전혀 안 했었어. 그냥 친한 동료이자 후배였을 뿐이지."

진심이었다. 지연에 대한 관계 설정, 미래에 대하여 깊이 생각해 본 적이 없는 것은 사실이었다.

"그런데, 동우야. 우리끼리니까 이야기하는 건데."

"뭔데. 해봐. 괜찮아."

"서현이 남편 네가 차로 칠 때, 너 그 사람이 서현이 남편인지 알고 있었어? 아니, 너무 우연치고는 이상하다는 생각이 들어서."

잠시 생각에 잠겼다.

"그렇긴 하지? 그 많은 사람 중에 딱 그 사람을 치니까. 경찰에서도 자꾸 물어보긴 하더라."

"그렇지?"

"사실, 서현이 남편한테 학대받는다는 것은 얼핏 알고는 있었어. 서현이 얘기할 때는 처음 듣는 척했지만. 너와 그 전에 벌써 얘기했었잖아."

"그렇지, 내가 얼핏 얘기했었지?"

"그런데 그날 좌회전하기 전에 사실 술에 취해 비틀거리는 사람이 그 남편이 아닐까? 라는 생각은 했었어. 서현이 사는 곳 부근이기도 하고 그냥 느낌이 그렇더라고."

"그럼 알고서 일부러 친 건 아니네?"

"당연하지! 그냥 그런 느낌이 들었을 뿐이야. 그냥 촉만 있었던 거지. 사고는 그냥 사고였을 뿐이야. 결과가 그렇게 된 거지. 사실 미필적 고의라고 정확히 말하기도 어려워. 그냥 우연 정도인 거지. 그리고 그 우연이 서현에게 도움이 됐을 뿐이고, 서현을 도와준 격이 된 거지."

민혁과 이런저런 얘기로 시간 가는 줄도 몰랐다. 오랜만에 만난 자리라 더 반가운 마음으로 시간을 보낸 듯했다.

다음 날 새벽까지 술을 진탕 마시고 간신히 집에 돌아왔다. 뭐가 됐든 난 사람을 쳤고 이런저런 일 처리 때문에 스트레스를 받은 건 사실이었다. 위로해 주는 친구가 있어서 좋았다.

어느 때부터인가 주변의 사람들에게 마음을 털어놓지 않게 됐다. 한번 마음을 드러냈다가 그 마음을 약점 삼아 말하는 누군가가 있었고, 비밀을 지켜줄 것으로 생각했지만, 며칠 후 내가 이야기한 마음은 다른 사람들의 입을 통해서 나에게 다시 돌아왔다. 꼭 모든 마음을 털어낼 수 있는 사람만이 진정한 관계를 맺게 되는 것은 아닐 터이다. 적당히 모르고 사는 게 더 나을 수도 있을 때가 많다. 그래도 민혁에게는 나의 어떤 마음이라도 슬그머니 털어놓고 싶을 때가 많이 있다. 그게 어제 같은 날이다.

다음 날, 지연에게 이메일로 장문의 편지를 받게 되었다. 지연은 자신의 생각을 담담하게 털어놓았다. 사실 절반 이상은 무슨 말인지 잘 이해가 가지 않는 난해한 문장이다. 글을 쓰는 수준이 나와는 다르다. 하지만 어떤 생각을 하는지, 어떤 말을 하고 싶은지 알아채는 데 큰 어려움은 없었다. 난 고민할 수밖에 없었다. 하지만 지연의 편지에 적절한 대답은 하지 못했다.

서로에게 관심받고 칭찬받고 싶은 심리는 나이가 들어서도 여전하고 때로는 더 커가기도 하지만 서로의 마음을 안아주기에는 각자의 삶이 바쁘고, 그보다 먼저 내가 내 마음을 알아주고 스스로 토닥여 주는 행동부터가 서투르기도 합니다.

약간의 기폭제에도 때로는 아무 촉진제 없어도 그에 대한 마음, 설렘, 뭉클함 등이 살아나서 요 며칠의 시간이 어쩌면 천천히 극복하고 지낼 수 있지 않을까 꿈꿔보게 했나 봐요.

그 꿈에 자꾸 욕심이 덧붙여져 '목소리 한번 듣고 싶다'에서 '더 듣고 싶다'. '스쳐만 가듯 보고 싶다'에서 '조금 더 함께하고 싶다'.

순간순간 무의식적으로 그와 함께 하는 시간을 조심스레 꿈꿔보는 자신을 보곤 했어요. 서로 감정이 무뎌질 때까지는 유효기간이 남지 않았을까 해 보면서요. 그거에요.

지금의 나는 다시 제 욕심 좀 비우고 있으려구요. 그럼 되지요? 제가 다른 아쉬운 게 없니, 있니는 차치하도록 해요.

추억에만 기대는 것도 아니고 말만 하는 감정도 아니고 전 그래요. 그간 미안하다가 속상하다가 미워하려고도 해 봤는데 잘 안되기만 하더군요 그래서 그리워하기 힘들 때까지 그리워해 보기로 했어요.

내가 선배를 어떤 존재로써 좋아했는지 궁금했다고 했지요. 그 존재 자체로. 선배에게 한 번도 꺼낸 적 없는 것 같은 말. '내 남자였으면 좋겠다' 이런 생각도 사치라고 생각하면

서. 요새 어쩌다 다시 가끔 연락하게 되고 가끔 학교서라도 볼 수 있게 되고 좋았지만 그만큼 쓸쓸하고 무서웠어요.

마음을 모두 비운다 하면서도 사람이라 생기는 욕심이 있어서 다시 얘기하다가 정말 안녕하게 될까봐 걱정되다가. 여기까지가 맞는데 다시 반복되는 것일까봐 양쪽 모두 두려웠어요. 근데 전자가 더 크더군요. 어떤 말로도 안 믿긴다는 마음의 느낌. 제가 늘 못했다는 마음을 지켜주는 거 저도 하고 저도 받고 싶어요. 그럴 수 있는 기회가 있었으면 하는 것. 다치기는 해도 감정 변치 않는다는 것까지가 제 맘이고 나머진 상대 몫이겠지요.

제 9화

함께, 멀리

어느 날 오전 강의가 끝나고 서현에게 전화가 왔다. 목소리가 기운이 없었다.

"오후에 잠깐 볼 수 있어?"

그녀와의 연애 시절 숱하게 들었던 말이다. 기시감처럼 그 목소리가 함께 귀에 들려왔다. 그리고 그 목소리와 함께 그때의 사랑했던 기억이 찾아들었다.

"그래."

서현과 함께 철원평야가 내려다보이는 소이산 정상에 올랐다. 소이산에서 바라본 광경은 언제 보아도 장관이었다. 멀리 북녘땅이 어렴풋이 보이고 그 유명한 백마고지도 철원평야 뒤를 지키듯 우뚝 솟아 있었다. 그 옆으로는 크고 작은 고지들이 조화롭게 자리 잡고 있었다. 한국전쟁 때 그토록 많은 젊음을 희생하면서 지켜낸 곳이다. 고지들 위 하늘은 먹구름이 커다랗게 드리워져 있었다.

소이산 등산로 입구에는 그 유명한 '노동당사'가 자리하고 있다. 한국전쟁 당시 이 지역을 관할하던 기관이다. 총탄, 포탄의 구멍 자욱이 선명히 남아 있다.

70여 년의 세월은 오래된 건물의 지지대를 낡게 만들었고 모든 건물이 그렇듯 서서히 무너져 내리고 있었다. 제2차 세계대전 당시 독일이 유대인을 학살하기 위한 아우슈비츠 수용소를 보존하는 것처럼 우리나라도 이 노동당사를 계속해서 보전하려고 할 것이다. 당연히 그래야 하는 것일 테고. 이 넓은 철원 지역에서의 공산 치하 만행을 증명하는 중요한 건물이기 때문이다.

조선로동당사로 이용된 이 건물은 한국전쟁 이후 우리나라의 영토로 귀속되었다.

난 역사학자답게 현대사에도 관심이 많다. 철원은 한국전쟁의 흔적이 그대로 남아있는 거의 유일한 도시이다. 물론 음울한 도시의 공기는 유쾌하지는 않다. 수많은 학살과 이념의 대립, 전투, 죽음, 슬픔 등, 그런 것들 이 서로 다져지고 다져진 땅이 바로 철원이다.

철원 지역에는 이러한 전쟁의 상흔이 구체적인 형태를 지닌 채 부지기수로 남겨져 있다. 어쩌면 이곳에서 전쟁은 현재진행형일 수도 있다. 멀지 않은 곳에 제2땅굴이 있고 군사분계선과 바로 맞닿아 있다. 온갖 전적비, 위령비, 평화 전망대, 승일공원, 백골공원 등이 있는 곳이다. 대부분 지명은 전쟁, 평화를 상징하는 문구로 이루어져 있다. 오랜 세월이 흐른 후에도 반드시 지켜져야 할 것들이다.

철원평야의 드넓은 모습에 이내 마음이 잠시 평온해졌다. 초가을, 아직 무르익지 않은 철원평야의 은은한 색조는 가라앉은 마음을 약간은 녹여주었다. 서현은 어렵게 말문을 열었다.

"할 말이 있어."

서현은 머뭇거리며 이야기를 이어갔다. 뭔가 중요하게 할 말이 있는 듯 보였다.

"동우 씨, 나 오래 살지 못해."

"무슨 말이야?"

"뇌종양이야. 사실은 동우 씨 마지막으로 보려고 철원으로 오게 된 거야."

어렸을 적 보았던 드라마의 신파 같았다. 21세기에 내가 그 이야기를 들을 것이라고는 생각하지 못했다. 그것도 내가 한때 처절하게 사랑했던 여인의 입을 통해서 그 이야기를 들을 것이라고는.

"사실이야? 처음 볼 때 몸이 안 좋아 보이긴 했는데."

울음에는 어울리지 않은 내 나이다. 그런데 눈물이 났다. 눈물은 내 볼을 타고 턱밑으로 흘렀다. 두 줄기 눈물은 에메랄드처럼 투명하게 내 볼을 적셨다. 서현에 대한 내 마음의 흔적이 고스란히 묻어나온 두 줄기 슬픔의 샘물이었다.

한 줄기는 서현에 대한 연민, 그리고 한 주기는 사랑하는 여인이 이 세상에서 없어질지 모른다는 슬픔이었다.

순간, 서현과 만남을 한창 이어갈 때 내 책상 위에 자필로 써서 붙여 두었던 시가 순간적으로 떠올랐다. 조병화 시인의 '남남 27'이라는 시였다.

'네게 필요한 존재였으면 했다.
그 기쁨이었으면 했다.
……
그리고 네 깊은 숲에
보이지 않는 상록의 나무였으면 했다.
네게 필요한
그 마지막이었으면 했다.'

서현에게 마지막 사랑이 되고 싶었다. 그런데 현실은 서현의 마지막을 바라보는 사람이 될지도 모른다는 불안과 연민에 휩싸이고 있었다.

"아픈지는 좀 되었어. 미국에서는 좀 나을지 알았는데 이제 거의 힘들게 됐다네? 그냥 편하게 정리하려고 마음먹었어."

서현은 덤덤하게 말했다. 덤덤함이 더 슬프고 애처롭게 다가왔다. 눈물을 흘리는 것 외에 해줄 수 있는 것이 없었다.

서현은 내가 없는 동안 애착의 대상이 없었을 것이다. 남편의 괴롭힘에 적어도 위로라도 받을 사람이 없었을 것이다. 서현을 지켜주지 못했다는 죄책감 아닌 죄책감에 가슴이 뜨거워졌다. 어쩌면 나와 헤어지는 그 순간부터는 아무런 관계가 없는 존재가 되었을 텐데, 이상하게도 지금 죄책감이 느껴진다.

"한 6개월 후면 하느님을 만날 수 있을 거야, 돌아가신 엄마, 아빠도."

"너무 늦었다는 거 알지만, 그래도 한번은 말하고 싶었어. 그렇게 너한테 말없이 떠나버려서, 그렇게 혼자 남겨둬서 정말 미안했다고."

나름의 합리적인 대답을 해주었다.

"헤어지고 나서의 시간은 우리 각자의 몫인 거지. 네가 후회하는 건 너의 지나간 시간이지 나와는 상관없는 일이야. 내가 고통스러웠건 견딜만했건,

네가 떠나고 너무 힘들었던 건 사실이야. 하지만 너도, 나도 각자가 어떻게 회복하고 서로를 어떤 방식으

로 잊어가는지가 중요한 것이겠지. 만나야 할 사람은 언젠가 만나게 되지 않을까? 지금 우리가 만나고 있는 것처럼."

서현은 담담히 이야기를 이어갔다. 나에게 할 말들을 미리 생각해 둔 것처럼 보였다.

"내가 너 보러 도서관 찾아갔던 일 기억나? 숨도 못 쉬게 보고 싶은 순간에 너밖에 생각이 안 났어. '빨리 너한테 가야겠다.' 그리고 갔더니 네가 날 안아줬어. 안아줘서 떨리나 했는데, 아닌 거 같아. 그냥 네가 좋아서 떨렸었나 봐."

어느덧 서현과 함께했던 시간으로 빠져들어 가고 있었다. 나의 타임라인에서 내 현재의 점을 과거의 점으로 천천히 옮기고 있었다.

ㅜ

서현으로부터 온 휴대전화 문자를 늦게서야 보았다. 대학원 수업을 수강하는 일은 언제나 쉽지 않다. 대학 시절 그냥 교수의 강의만 듣고 필기하고 레포트 과제를 제출하고 그런 차원이 아니었다.

매시간 미리 공부해야 그 수업을 따라갈 수 있다. 그냥 앉아서 듣기만 하는 수업이 아니라, 어떠한 견해나 생각을 끊임없이 제시하고 반박하고 질문하는 과정이 이어진다. 내가 그날 주제에 대한 지식이 없고서는 참여하기가 어렵다.

서현과 강의 전 시간에 함께 저녁 식사를 하였다. 오늘부터 강의 한 시간 전에 함께 만나서 미리 학습 주제에 관해 이야기를 나누고 수업에 들어가고 싶다고 했다.

나름 대학에서는 성적이 우수한 축에 속했으나 갑작스럽게 변화된 수업방식에 적응하기 힘든 건 서현도 마찬가지였다 보다.

그날부터 우리는 2년 정도를 자주 만나서 함께 전공서적 공부를 했다. 페이퍼도 함께 공유하고 도서관에서 관련 서적도 함께 검색하곤 했다.

원래 공부하기 좋아했고 도서관에 가면 마음이 편했기에 특별한 생각 없이 서현과 그렇게 지냈다.

서현이 나에게 어떤 마음이었는지를 그때까지도 전혀 몰랐다. 나중에 알았지만, 서현이 나와 함께 공부하자고 했던 이유가 있었다.

서현은 나와 함께 하기를 원했다. 어느덧 익숙해 버린 서로의 옆자리는 내가 원하던, 원하지 않든 하나의 습관처럼 자리 잡아버렸다.

서현은 역사학을 전공하지만, 피아노를 많이 좋아했다. 고등학교 때까지 피아노를 전공하려고 많이 준비했었다고 했다. 그런데 갑자기 다른 전공으로 입학했다고 했다. 자세한 이유는 이야기하지 않았다.

혼자 있는 것을 좋아하고, 특히 공부할 때는 혼자만의 시간을 선호했던 내가 어느새 서현이 옆에 있어도 크게 신경이 쓰이지 않을 만큼 바뀌었다. 내가 함께 있어도 아무런 불편을 느끼지 않는 몇 안 되는 사람 중의 한 사람이 돼버렸다.

겨울의 도서관은 너무나 편안하다. 여름처럼 출입문을 열어두지도 않았고, 시끄러운 에어컨 소리도, 방문객들의 소리도 크게 들리지 않는다. 특히 많이 춥거나 눈이 오는 날은 방음이 자연적으로 되어서인지 더 조용하고 차분하다.

도서관 3층에는 야외 휴게실이 있다. 야외 휴게실에서 보는 바깥의 경관이 너무 좋았다. 나무들은 모두 잎이 지고 앙상한 가지만 남아있다. 그 가지 사이로 이름 모를 새들이 속삭이는 소리만 가끔 들린다. 벤치에 앉아 저 멀리 산과 빌딩을 바라본다. 진한 커피를 마시면서, 그리고 담배를 한 개비 물고서.

어느 날 서현이 도서관으로 불시에 찾아왔다. 문자가 왔는데 어디 있냐고 해서 도서관이라고 대답했다. 서현은 30여 분 후에 내 앞에 나타났다.

갑자기 내린 첫눈처럼 그녀의 등장은 나를 설레게 했다. 누군가 이 시간에 나를 찾아왔다는 것. 내 생각을 했을 테고, 내가 보고 싶었을 것이다. 나하고 이야기하고 싶었을 테고 나와 함께 밥을 먹고 싶었을 것이다.

"갑자기 어떻게 왔어?"

반갑지 않은 듯 무심하게 물었다.

"그냥, 밥이나 같이 먹으려고."

오늘 써야 하겠다고 계획한 논문의 분량이 머릿속에 떠오르지 못할 만큼 그녀의 모습에서 반가움 이상의 감정이 떠올랐다.

2년 가까이 자주 함께 한 시간만큼 서로의 마음은 그렇게 쌓여갔나 보다.

어둑어둑해진 겨울 저녁, 도서관 앞 뜰의 가로등은 줄을 맞춰 자신의 불빛을 내려다 주었다. 잠시 함께 걸었다. 눈이 와서인지 그다지 춥지 않은 날씨이다.

"갑자기 찾아와서 놀랐어? 방해한 건 아니지?"

"괜찮아~ 방학 기간인데 뭘, 그나저나 학위논문 준비는 잘 돼?"

"아니, 그냥 쉽지 않네? 어떻게든 되겠지."

함께 이런저런 이야기를 나누었다.

서현은 나에게 영화 속에 나오는 대사를 수줍게 읽어주었다.

"사랑은 처음부터 풍덩 빠지는 건 줄 알았지. 이렇게 서서히 물들어 버리는 건 줄은 몰랐어. 어느 시인이 이런 말을 했다고 해. 누군가를 이해하고 싶고 용서하고 싶고 또 사랑하고 싶다면 가는 그의 뒷모습을 오랫동안 바라보라고. 그렇게만 한다면 공연히 이해하고 용서하고 사랑하려 애쓸 필요 없이 그의 외로운 그림자가 어느새 당신을 울리고 있을 거라고."

서현은 결국 나에게 자신의 감정을 말하고 싶었던 것이었다. 서현이 무엇을 이야기하고 싶은지 비로소 알게 되었다.

'그래, 그렇게 사랑은 서서히 젖어 들고 스며드는 것이겠지 천천히, 서서히 물들어 갈수록 더욱더 깊어지는

게, 사랑이겠지.'

사람에겐 절대 숨길 수 없는 '세 가지'가 있다고 한다. 기침과 가난, 그리고 사랑. 그런데 사랑은 숨길수록 더 드러난다. 서현은 나에게 사랑이라는 감정을 들키고 말았다.

그 후로 서현과 거의 매일 붙어 다니다시피 하였다. 그런데 누군가와 함께 오래 있는 것이 익숙하지 않다. 때로는 혼자이고 싶고 내가 어디에 있는지, 무엇을 하는지 말을 하고 싶지 않을 때도 많다. 어려서부터 성향이 그렇다.

서현과도 결국 그러한 문제로 관계에서의 크랙이 생겼다. 첫사랑이라는 현란한 용어 아래 불편함을 어느 정도 감수했지만, 내면에는 그러한 불편함이 꾸준히 쌓였다.

어느새 서현에 대한 설레임은 지루함이 되고, 만나지 않을 핑계를 찾게 되었다. 친구들의 말에 의하면 연인은 매일 눈뜰 때부터 눈 감을 때까지 함께 해야 한다고 하였다. 그러나 그런 생활이 그다지 마음에 들지 않았다. 각자 할 일을 하다가 만나는 것이 옳다고 생각했고 이상적인 연애라고 믿었다.

지루함을 영원히 느끼지 않은 관계는 없다. 누군가와 함께하는 시간, 사랑하는 시간이 한없이 즐겁다가도 계속 붙어 있다가 보면 무덤덤해지는 것이 인지상정이다. 사람의 감정은 매일 변하는 기온처럼 수시로 오르락내리락한다.

ㅜ

따사롭던 어느 해 봄날, 서현과 경춘선을 타고 김유정역으로 나들이를 갔다. 때마침 평일이라 그런지 한적한 춘천의 풍경은 고즈넉했다. 아지랑이는 철로 위로 하늘하늘 피어올랐다. 철길 옆에는 이름 모를 들꽃들이 한껏 수를 놓고 피어있었다.

역 주변에는 여기저기 식당과 카페가 자리 잡고 있었다. 그 사이로 개나리꽃이 노랗게 피어있어 흡사 꽃길을 걷는 듯한 느낌이었다. 어디든 카페에 들러 차라도 마시고 싶은 마음이 생기게끔 하는 분위기였다.

나들이 가기 전, 서현에게 숯불 닭갈비를 먹고 싶다고 얘기했다. 우리는 여행계획을 세우느라 재미있어 시간 가는 줄도 몰랐다. 김유정역에서 닭갈비를 먹고 산책하고, 카페에서 차도 마시고 등등. 서현이 차편 예매를 하고 맛집도 알아본다고 웃으며 말했다.

김유정역에서 주변을 천천히 걷고 나니 어느 정도 점심시간도 되고 배도 허기졌다. 서현이 데리고 간 닭갈빗집으로 들어갔다. 규모도 크고 가격도 적당히 비싼 맛집이라고 했다.

주문한 지 얼마 후에 나온 닭갈비는 숯불 닭갈비가 아니라 가스레인지에 프라이팬으로 요리하는 닭갈비 메뉴였다.

"어? 숯불로 굽는 닭갈비 아니었어?"

"그러게. 그것까지는 잘 몰랐네."

서현은 아무렇지도 않은 듯이 그렇게 대답했다.

"내가 숯불로 굽는 닭갈비 먹고 싶다고 얘기하지 않았어?"

약간 짜증이 나서 쏘아붙이듯 이야기했다. 그 짜증이 말투로 서현에게 전달되었나 보다. 그래도 이미 나온 음식이라 어쩔 수 없이 그대로 먹을 수밖에 없었다.

거의 음식을 다 먹을 무렵이었다. 서현은 화가 나 있는 것처럼 보였다.

"그냥 먹으면 되지 숯불 아니라고 먹으면서까지 그렇게 투덜대? 내가 얼마나 불편한지 알아?"

내가 식사 중간중간에 숯불 닭갈비를 못 먹은 것에 대해서 짜증 어린 투로 이야기했었나 보다. 특별한 생각 없이 그냥 말한 것인데,

사실 짜증이 난 것은 사실이었다. 유아적인 기질이 있었는지 난, 원래 내가 생각하고 계획한 대로 잘 안되면 화를 주체하지 못한다. 너그럽게 포용하거나 그냥 포기하기가 쉽지 않다. 항상 계획하고 움직이는 것이 내 성향이다. 즉흥적으로 무엇을 하거나 결정하지 않는다. 좋게 말하면 신중하고 치밀한 것이고 나쁘게 말하면 쫀쫀하고 고지식한 성격이다.

그날도 그랬을 것이다. 나도 모르게 어긋난 내 생각에 대해 불평을 했을 것이다.

결국, 서울로 돌아올 때, 서현과 나는 각기 다른 기차로 따로 돌아오고 말았다.

사실 그런 적이 그날만 있었던 것이 아니었다. 산책하는 길에서도, 영화를 함께 보던 중간에도 무언가 마음에 들지 않으면 서현을 두고 혼자 가버리기가 일쑤였다.

어쩌면 그때의 난 서현에게 희생과 헌신을 강요한 것이다. 서현은 그런 나를 너그럽게 포용하기란 쉽지 않았을 것이다. 그때 우리는 겨우 스물여섯, 스물일곱이었다.

"나, 부모님이 결혼 재촉하셔."

그 일이 있기 얼마 전 서현은 나에게 자기 집의 복잡한 사정을 말해주었다.

"아버지 퇴직도 얼마 안 남으셨고, 동생들도 이젠 커서인지 부모님께서 내가 결혼을 서둘렀으면 하시네."

"그래?"

짧게 대답하였지만 사실 머리는 조금 혼란스러웠다. 그때까지 서현과의 결혼을 전혀 생각해 보지 않았다. 2년 정도를 만났지만 겨우 스물여섯이었고 공부도 더 하고 싶었다. 사실 결혼보다는 유학을 가고 싶은 마음이 훨씬 앞섰다. 결혼으로 내 인생의 전환점을 찾기에는 하고 싶은 일이 많았고 수중에 모아둔 돈도 없었다.

그런 나에게 서현의 결혼 이야기는 부담과 마음의 짐으로 다가왔다. 그런 부담은 김유정역에서의 일과 같이 나에게 '도피'라는 방어기제를 사용하게 되는 결과를 낳았다.

이후로도 몇 차례 서현의 결혼 이야기에 대해서 아무런 대꾸도 하지 못했다. 하지만 서현은 나의 차갑고 여의찮은 반응에 실망하였을 것이다. 그리고 자신이 바로 결혼할 수 있는 여러 혼처를 자신의 부모님과 함께 찾아다녔을 것이다.

그렇게 내 인생 첫 번째 이별은 소리 없이 나에게 다가오고 있었다.

The Cheorwon Hantan River Eunhasu bridge

제 10화

기억 너머로

철원은 봄이 늦게 찾아온다. 다른 말로 하면 겨울이 길다. 5월이 되어서야 조금씩 낚시를 할 수 있다. 그나마 따듯한 날이어야 한다.

민혁과 오랜만에 학저수지로 향했다. 서현은 아직 병마와 싸우고 있다.

지난 코로나19 때, 사람들은 바이러스도 두렵지만

다른 것들을 두려워했다. 주변으로부터 병이 옮을까 두렵고, 나의 동선이 파헤쳐질까 두렵고, 사회적으로 배척되는 집단이 내 주변에 있을까 두렵고, 내가 배척당할까 두려웠었다. 한낱 미생물 덕분에 인간의 본성이 드러나는 시간 들이었다. 그렇게 인간의 삶은 가식과 위선으로 가득 차 있다.

인간 존재에 대한 의문은 자연에 대한 머리 숙임으로 어느 정도 해결된다. 널찍한 저수지의 광경은 자연 앞에 인간은 미약하다는 것을 느끼게 해 준다. 학 저수지는 그만큼 넓고 평온하다.

학저수지는 동송읍에 있다. 노을이 아름다워 많은 사람들이 출사(出寫)를 오는 장소이기도 하다. 근처의 도피안사(到彼岸寺)는 도선국사가 신라 경문왕 5년(865)에 창건한 유서 깊은 고찰이다.

학저수지의 '학'이라는 이름은 학저수지 인근 금학산(金鶴山)의 모양에서 비롯되었다고 한다. 금학산은 마치 학이 내려앉은 모양과 닮았는데, 이 때문에 학저수지라는 이름이 붙었다고 한다.

학저수지는 어린 시절 보았던 모습과는 사뭇 달랐다. DMZ 둘레길이 여기저기 갖춰지고 나무 데크는 저수지를 빙 돌아서 감싸 안듯 펼쳐져 있다. 일몰 풍경은 예전과 그대로이다. 초여름의 파란 하늘과 머릿결을 찰랑이게 하는 시원한 바람은 여전하다.

아무리 인공적인 설치물이 생겨도 변하지 않는 자연의 아름다움이다. 가을이면 화사한 연분홍색의 코스모스가 학 저수지 주변에 만발했다. 코스모스는 바람에 리듬이라도 맞추듯 살랑거리며 흔들렸던 모습이 아직 기억에 선하다. 겨울이면 기러기, 두루미, 청둥오리 같은 겨울 철새들의 비상이 찬란하다. 학 저수지는 그렇게 철원의 주변에서 철원의 모습을 유유히 지키고 있었다.

니체는 '더할 나위 없이 작은 것, 가장 미미한 것, 가장 가벼운 것, 도마뱀의 바스락거림, 한 줄기 미풍, 찰나의 느낌, 순간의 눈빛과 같은 작은 것'들이 우리를 최고의 행복에 이르도록 해 준다고 하였다. 그 작고 소중한 것들이 이곳 저수지에는 가득 차 있었다.

"일몰이 장관이네, 마치 거울에 비치는 것 같다."

중년 남자끼리의 대화답지 않은 말을 시답지 않게 던져보았다.

"그래, 그건 멋진데. 저런 데크를 만드는 건 사실 별로야. 그냥 우리 어렸을 때처럼 그대로 두는 게 좋은데."

민혁은 자연을 원래 그대로의 모습으로 그냥 두자는 생각이 강한 것 같다.

"둘레길도 그냥 흙길로 해서 길만 내면 되는데 꼭 저런 식으로 나무 데크를 만들더라. 그런 것들 때문에 원래 저수지의 멋진 모습이 없어지는 거 같아. 우리 어렸을 때는 이런 모습이 아니었잖아?"

"그러게, 요즘에 잠깐 와본 사람들은 저수지 원래의 모양이 저런 줄 알겠지."

"그러니까, 온 나라 저수지가 다 비슷한 풍경이 되다시피 하니까. 다른 곳에 가 봐도 다 저런 모습이야. 어디 저수지인지 둘레길인지 구별도 안 돼."

민혁과 나란히 앉아 담소를 나누면서 낚시 삼매경에 빠졌다. 꽤 자주는 아니지만 일 년에 서너 번은 이렇게 함께 한다.

"우리 둘, 모두 가장으로 사는 게 쉽지 않지?"

"그러게, 애들은 셋이나 되는데 이제 대학 갈 나이가 됐으니, 게다가 어머니가 또 편찮으시네!"

어느 나이 때서부터 인지 정확히 기억은 잘 나지 않지만, 우리는 부모님, 자식 걱정만 하는 전형적인 40대 아저씨가 되어 있었다. 실상을 보면 우리 자신에 대한 고민이나 생각이 아니라, 대부분이 나 이외에 나를 둘러싸고 있는 사람들에 대한 걱정과 염려하는 이야기뿐이다. 어쩌면 우리는 스스로가 아닌 다른 누군가를 위해서만 살고 있을지도 모른다. 직장에서 일을 하고 돈을 벌어도 그것은 나보다는 가족들의 생계나 학비에 대부분 사용된다. 사실 이렇게 버티고 사는 것도 쉽지 않다. 하지만 어쩔 수도 없다. 결국 40대 가장이 살면서 짊어지고 갈 몫이니까.

결국, 민혁과는 초등학교에 있었던 추억을 이야기하게 된다.

“너, 기억나?”

“우리, 학교 공부 끝나면 여기 저수지에서 빈 병 주워다가 슈퍼마켓에 갖다줬잖아. 그러면 아주머니가 아이스크림으로 바꿔주곤 했지.”

“그래, 그때는 학원이나 그런 것도 없고 할 일이 없으니까 항상 친구들하고 그렇게 놀았었지.”

“요즘 애들하고는 다르지?”

"요즘 애들이야 휴대폰 게임하고 온갖 학원 다니면서 시간 보내지, 그러고 보면 애들도 불쌍해. 한창 놀 나이에 놀기는커녕 갇혀 있다시피 하면서 시간을 보내야 하니까."

"그때는 자전거도 쌀집 배달하는 큰 자전거 타곤 했었는데, 영재 그 친구 그때 자전거 체인에 끼어서 종아리 찢어져서 꿰맸던 일 기억나?"

민혁은 기억이 떠오른 듯 대꾸했다.

"기억나지, 우리 모두 놀라서 영재 놈을 업고 병원으로 뛰었었지, 그때 너무 무서웠어. 병원에서 기다리면서 모두 울었었잖아."

우리는 옛 추억에 신나서 아이들처럼 떠들어댔다.

"논 옆에 배수로에서 미꾸라지를 잡아다 양동이에 모아서 식당에 가져다 주기도 했었지"

"그때는 미꾸라지 천지였는데"

"지금 미꾸라지 구경도 못 하잖아. 다 양식으로 길러서 식당에 파는 것 같은데"

"뭐 미꾸라지뿐이겠냐, 붕어건 피라미건 여기 저수지에도 천지였는데, 지금 붕어 구경할 데가 어디 있겠어?"

“그러게, 세월이 많이 흘렀네? 우리도 이제 꼰대 다 됐다. 젊은 애들한테 이런 얘기 하면 무슨 말인지 전혀 이해 못 하겠지?”

“그래, 그렇게 어린 시절 보낸 세대도 이제 우리가 거의 마지막일 거야. 우리 같이 다니던 초등학교도 이제 학생 수가 30명밖에 안 돼. 얼마 안 있어 없어질 거 같아.”

“학원비다 뭐다 애들 키우는 게 그렇게 힘드니 누가 애를 낳으려고 하겠어? 그것도 큰 문제야.”

우리는 우리의 세대가 나눌 수 있는 사회문제에 대하여도 자연스럽게 이야기를 나누었다.

“빨리 아이들 키우고 조용한 데 가서 살고 싶어.

4, 50대 아저씨들의 로망이잖아. 자연인 나오는 프로그램 봤지? 그게 은근히 보는 사람이 많다잖아. 정말 우리 나이 아저씨들은 다들 그런 생각을 하나 봐.”

“막상 그렇게 사는 게 쉽지는 않은데 그냥 텔레비전으로 보면 재미있더라. 대리만족이겠지”

난 맞장구를 쳐주었다. 사실 나도 그런 생각한 적이 자주 있었다. 그 프로그램을 볼 때마다 나도 모르게 채널을 돌리지 않고 한참 동안 본적이 자주 있다. 어떻게 보면 아무것도 아닌 일들, 아침에 닭과 강아지에게 먹이를 주고 낮에는 산에 올라가 나물이나 칡을 캐고, 가까운 개천에 가서 물고기를 잡고, 밤이면 아무도 없는 고요함 속에 혼자 있는 것. 어쩌면 우리 생애 절대 이룰 수 없는 로망이나 버킷리스트일지도 모른다. 하지만 많은 수의 우리 세대 사람들은 그것을 동경하고 부러워한다.

나도 마찬가지이다. 어느새 우리는 복잡하고 시끄러운 삶의 모습에 이미 지쳐버렸을 것이다. 그래서, 어떤 식으로든지 탈출에 성공한 자연인을 동경하고 그리워하는 것이다. 그것이 비록 '도피'가 되었을지언정.

동년배 친구와의 대화는 그래서 편하다. 공감이라는 단어는 서로의 마음을 전하지 않고 눈빛만 보아도 이해할 수 있도록 해준다.

같은 시공간에 함께 있었다는 이유 하나만으로 우리는 서로를 공감하기에 충분했다. 덧붙여 서로의 희로애락을 가장 가까운 곳에서 공유했다는 사실은 그 친밀감과 공감의 깊이를 더욱 배가시킨다.

내 주변에 공감해 주는 사람이 단 한 명씩이라도 있으면 이 세상의 정신병원은 모두 문을 닫을 것이라 했다.

누군가 나의 마음을 알아주고 경청해 주고 이해해 준다는 것, 특히 요즘과 같은 세상에 가장 중요하면서도 필요한 것일 터이다.

2018년 방영되었던 어떤 드라마[11]의 명대사이다.

"죽고 싶은 와중에, 죽지 마라. 당신 괜찮은 사람이다. 파이팅해라. 그렇게 응원해 주는 사람이 있다는 것만으로 숨이 쉬어져. 고맙다. 옆에 있어 줘서"

공감은 삶을 끈을 끊으려 생각하는 사람을 멈추게 하고 숨이 막혀가는 사람에게 다시 숨을 불어 넣기도 한다. '파이팅' 이라는, 어찌 보면 우리가 운동경기를 할 때, 특별한 의미 없이 서로 함께하자는 말 한마디가 어떤 사람에게는 크나큰 힘이 된다. 엄청난 힘을 가지고 있다. 죽음을 스스로 선택 한 사람을 설득할 명분은 없지만, 그래도 한번은 다시 그 선택에 대해 유예하거나 생각할 수 있는 마음이 들도록 해준다.
'난 정말 괜찮은 사람인가?' 이런 의문 말이다.

---

11) 나의 아저씨, 2018년 3월 21일부터 5월 17일까지 방영된 tvN 수목 드라마(나무위키)

침묵이 잠시 흘렀다. 민혁도 무언가 생각에 잠긴 모습이었다. 무언가를 생각하기에는 낚시터 만 한 곳이 없다. 생각을 방해하는 사람들의 수다도, 움직임도 거의 없다. 예민할 때는 무언가 움직이기만 해도 신경이 쓰인다. 그런데 낚시터에 앉아 있는 대부분 사람은 잘 움직이지 않는다. 말도 거의 하지 않거나 그 소리가 들리지 않을 정도로 나지막하다. 너무나 고요하다.

멀리서 들려오는 이름 모를 새소리와 찰랑이는 물결 소리, 간간이 지나다니는 자동차 소리, 그런 정도가 모든 움직임과 소리이다. 자연의 ASMR이다. 무언가를 생각하거나 집중하기에 너무 좋다.

다시 민혁과 이야기를 나누기 시작했다.

"부모님 모시고 사는 거, 힘들지 않아? 제수씨는 어때?"

"당연히 쉽지 않지. 고부간의 갈등이라는 게 항상 드라마 소재가 되고 있잖아. 사이가 가깝든 멀든 함께 있는 자체가 쉬운 건 아니지."

"그러니까. 제수씨도 참 대단하시다."

"그래도 큰 문제 없이 아직은 잘 지내. 나도 와이프한테 항상 고맙게 생각하고."

핵가족 시대에 민혁처럼 부모님 모시고 사는 경우가 사실 드물다. 하지만 민혁은 부모님을 모실 것을 고집한다. 물론 민혁의 아내가 극구 반대했다면 쉽지 않을 일인데 지금 그렇게 사는 것 보면 아내도 특별히 반대는 하지 않은 것 같다. 그래도 아내 입장에서는 분명 쉬운 일은 아닐 것이다.

오랜만에 만나서인지 민혁과는 이야기가 끊이질 않고 이어졌다. 마치 기다렸다는 듯이.

"그런데, 민혁아. 우리 초등학교 때 영희라는 여학생 기억나?"

민혁은 잠시 놀란 듯이 머뭇거리며 대답했다.

"너, 영희 아직도 기억하는구나."

"그러게, 이상하게 기억이 나네? 같이 뭘 한 것도 아닌데."

민혁은 저수지 반대편을 물끄러미 쳐다보며 약간 머뭇거리다 이야기를 이어갔다.

"몇 년 전에 초등학교 동창회 자리에서 그 친구 이야기가 나왔어. 스물 몇 살 때인가? 벌써 죽었다고 하네."

초등학교 시절 우리 반에는 '영희'라는 여학생이 있었다. 전학을 갔던 첫날 본 그 여학생의 모습에 놀랐던 기억이 났다. 남학생들 거의 모두가 영희를 놀려대고 안 보이는 데에서 별명을 부르거나 욕을 했다. 꾀죄죄한 옷에 빗지 않아 헝클어져 있는 머리카락, 낡아서 거의 다 헤진 신발, 얼굴 여기저기에 가득한 주근깨.

여학생에게 그렇게 심하게 놀리는 장면을 처음 본 난 사실 조금은 놀랐다. 그리고 그 친구가 가엾어 보였다.

"안 그래도 영희, 그 친구 이야기가 나왔었어. 그 모임에 있었던 거의 모두가 그 친구를 심하게 놀렸었지. 죽었다는 이야기를 듣고서는 우리 모두 숙연해졌어. 후회도 많이 되고. 철없는 어린 나이였지만 우리가 그 친구에게 왜 그랬을까? 하는 자책 아닌 자책도 많이 하고. 하여간 그날 모임은 좀 다운되는 분위기였어."

"그랬구나, 그럴 만도 하지."

민혁은 또 그때의 기억이 떠올랐는지 조금은 기운이 없는 목소리로 이야기를 이어갔다.

"아버지는 영희랑 영희 엄마를 두고 어딘가로 도망가 버렸고. 영희 엄마가 남의 집 밭일을 해서 영희랑 동생을 겨우 학교에 보내고 있었다고 하더라. 게다가 영희 엄마도 몸이 성치 않았다고 하던데……."

"그래? 뭐 어렸을 때니 너희들도 잘 몰랐겠지. 그런데 나도 학교에서 아이들 가르치다 보니까 그 생각이 가끔 나긴 하더라. 그래서 그렇게 괴롭힘을 당하는 친구는 많이 챙겨줬어. 괴롭히는 놈들은 많이 혼도 내고 타이르기도 했고. 그래서 지금 물어본 거야."

잠시 이야기가 멈췄다. 부드럽고 따스한 봄바람이 저수지 주변 갈대들을 춤추게 했다.

"지금도 그 친구 생각하면 마음이 좋지 않아. 무슨 죄라도 지은 것처럼"

민혁은 아직도 죄책감이 느껴져 보였다. 사실 민혁은 그 친구를 놀리거나 괴롭히지도 않았다. 착한 친구였다. 지금 이런 생각하는 것 자체도 착한 거겠지. 자신이 하지도 않은 일에 대하여, 자신이 다른 친구들을 말리지 못한 일조차도 자기의 잘못처럼 여긴다. 민혁은 그런 친구다.

초등학교 때에도 보면, 친구 중 몇몇은 개구리를 잡아서 바닥에 세게 던져 죽이거나, 새총을 쏘아서 새를 잡거나 하는 등, 가만히 잘 지내는 생물들을 이유 없이 죽이는 아이들이 있었다. 멋도 모르고 그 친구들이 노는 곳에 따라다녔다가 무섭다는 생각도 하고 한편으로는 그 친구들이 너무나 이상했다.

'왜 저렇게 잔인하게 죽이지? 아무 이유도 없이. 그렇게 재미있나?'

그런 모습을 본 이후로는 그 친구들을 절대 따라다니지 않았다. 최근 언론에서 가끔 보도되는 잔혹한 살인사건을 볼 때마다 그런 생각이 들었다. 살인자가 느끼는 쾌감 아닌 쾌감이 예전 어릴 때 내가 보았던 그 친구들이 느꼈던 감정과 비슷한 것이 아니었을까 하는.

그 무렵, 학교에 다녔었던 사람은 알겠지만, 우리 반에도 '우리들의 일그러진 영웅' 소설의 인물인 '엄석대'와 같은 학생도 있었다. 그 친구는 자신의 부하(?)를 몇 명씩 거느리고 다녔고 가방과 신발주머니는 '부하'라 일컫는 친구들이 들고 다녔다. 짧은 까치머리에 얼굴은 우락부락하게 생겼다. 주먹은 크고 항상 낡은 트레이닝복 차림이었다. 그리고 운동신경이 있어서 달리기나 축구를 잘하는 편이었다. 항상 서너 명의 학생을 뒤에 이끌고 다닌다. 요즘 말로 '빌런'이었다. 담임선생님은 별다른 말씀이 없으셨다. 모른 체 하셨을지도 모른다.

“범수 그 친구는 요즘 어떻게 산대?”

그 친구가 생각나서 민혁에게 이야기를 꺼냈다.

“아, 그 친구. 싸움 잘하던…, 범수 그놈 군(軍) 하사관이야. 지금 말로 부사관이지. 군대에서 바로 말뚝 박았나 봐. 하긴 그 친구 체질에 맞을 수도 있지.”

“군대에서도 옛날처럼 하려나? 요즘 군대 만만치 않을 텐데?”

“그러게, 그러지는 않겠지?”

“여전히 그럴 거 같은데? 사람 쉽게 안 바뀌잖아. 그대로일걸?”

“지금 와서 이런 얘기하긴 좀 그렇지만. 나는 그 친구의 본성이 안 좋다고 생각해. 학교에서 아이들 가르쳐 보니 더 그런 생각이 들어. 그 나이에 그렇게 좋지 않은 행동을 하는 것은 머리에 특별한 무언가가 있다는 거야. 웬만한 외부의 자극으로는 고쳐지기 어려운 나쁜 것.”

“그럴까?” 민혁은 특별히 다른 말을 언급하지는 않았다. 사실 어릴 때부터 정의롭지 않거나 다른 사람에게 피해를 주거나 부당한 대우를 받는다거나 하면 그

분노가 극에 달했다. 싸움을 잘하지도 못하고 싸움 자체가 체질에 맞지 않은 이유도 있지만, 주로 혼자 그 분노를 삭이곤 했다. 마음으로만 대항하는 일이다. 사실 이 나이에도 비슷하다. 그 분노나 화는 잘 잊히지 않고 내 기억 속에 차곡차곡 쌓이고 있었을 것이다. 생각만 해도 화가 치미는 그 모습이 떠올랐다.

그 친구에게 반항하거나 말을 듣지 않으면 그 부하 친구들이 때리는 것을 몇 번 목격하면서 '왜 저럴까?' 하는 부정적인 생각도 하곤 했다. '우리들의 일그러진 영웅'과 매우 비슷한 상황을 그 당시 경험했다. 어른이 되어서 우연히 본 소설에서 기시감을 느꼈다.

잠시 화를 가라앉혔다. 화가 오르면 머리가 아프고 얼굴이 붉어진다. 가슴도 뛴다. 그럴 필요도 가치도 없는데.

민혁과 이런저런 예전 이야기를 나누면서 내 머릿속에는 학창 시절 읽었던 이문열의 '그대 다시는 고향에 가지 못하리'라는 책이 떠올랐다.

화전, 채미, 천렵, 석전 등등 지금은 사라져 버린 내 어릴 적 이야기들은 '옛날 사람'이라는 신조어로 나를, 아니 우리를 치부해 버린다. 현대의 문명은 결국 옛것을 바탕으로 일구어졌거늘 현재의 사람들은 '꼰대'라는 말로 기성세대를 '고리타분함'으로 정의해 버린다. 참 서글픈 현실이다.

'내가 살던 고향은 꽃 피는 산골, 그 속에서 놀던 때가 그립습니다'라는 동요의 가사처럼 우리는 어릴 적 친구들과 함께 즐겁게 뛰어놀던 그 시절을 그리워하며 나이 들어간다. 철원이 나에겐 그런 장소이다.

그곳을 거닐다 보면 난 꿈 많은 어린 초등학생으로 변해있다. 여러 종류의 소음과 복잡한 차들의 행렬은 보이지 않고 바람이 불 때마다 먼지가 뽀얗게 휘날려 입과 코를 가리게 되는 시골의 비포장도로를 걷는 내가 보인다.

추운 겨울이면 마른 논밭 사이로 허름한 시골집의 굴뚝에서는 밥 짓는 연기가 모락모락 피어난다. 그 연기의 내음이 아직도 선명하게 기억난다.

코스모스는 비포장도로 길가에서 가을바람에 그 몸을 내맡기듯 살랑거리며 우리를 반겨준다. 지금도 나는 가을 코스모스를 가장 좋아한다. 긴 겨울을 힘겹게 보낸 논과 밭의 흙 내음과 코를 찌르는 듯 피어나는 퇴비의 고약한 냄새조차 아름답고 정겨운 풍경일 뿐이다.

멀리 들리는 소들의 음메~ 하는 울음소리는 새로운 계절이 돌아왔다는 신호처럼 들린다.

유년 시절의 추억들은 평생 잊히지 않고 내 마음속 어느 한구석에 숨어있다가 어느 순간 갑자기 떠오른다. 유년 시절이 그렇다. 잊을 줄 알았는데 조용히 눈을 감고 있으면 많은 추억이 새록새록 솟는다.

어릴 적 거의 매일 친구들과 함께했던 오징어 게임도 지금은 드라마의 소재가 되는 신기한 퍼포먼스가 되었다. 컴퓨터, 모바일 게임에만 익숙한 MZ세대에게 예전의 놀이들은 그저 낯설고 신기할 뿐이다.

당시 우리에게 유행했던 취미활동은 우표수집이었다. 오래될수록 가치를 인정해 주었고 희귀할수록 더 가치가 올라간다. 기념우표가 발행되는 날이면 우체국 앞에 새벽부터 줄을 서며 기다렸다. 심지어 텐트를 치고 기다리는 사람들도 있었다. 오랜 기다림 끝에 겨우 얻게 된 우표를 보며 뿌듯한 기분을 느꼈고 친구들에게도 자랑할 수 있었다.

중고등학교 시절에도 철원의 친구들과 손 편지를 주고받았다. 손 편지라는 말도 최근에야 생긴 말이다. 편지는 당연히 손으로 쓰는 것이었기 때문이다. 지금처럼 버튼 몇 번으로 마음을 전하는 것이 아니라 밤새 마음을 꾹꾹 눌러쓴 서툰 글씨체의 편지는 낭만이 있다. 그리고 며칠 후 우리 집 우편함에 얌전히 꽂혀있는 친구의 답장은 마치 선물처럼 나에게 다가왔다. 그때의 반가운 기분은 잊을 수가 없다.

"너희 젊음이 너희 노력으로 얻은 상이 아니듯, 내 늙음도 내 잘못으로 받은 벌이 아니다."

영화 '은교'에서 '이적요'라는 시인이 했던 말이다. 그는 시인 로스케의 말을 인용하며 "늙는다는 것은 이제까지 입어 본 적이 없는 납으로 만든 옷을 입는 것이다."라고 말했다.

인생을 살아간다는 것은 결국 늙어가는 것이다. 늙어가는 것은 '상실의 벌'일지도 모른다. '벌'은 슬픈 것도 아픈 것도 아니다. 그냥 감내하고 받아들여야 하는 일일 뿐이다. 그렇다. 늙어가는 것은 그냥 벌일 뿐이다. 슬퍼하거나 분노할 필요도 없다.

어느 순간 나이가 들어가는 것이 슬퍼질 때가 있었다. 늙어 가는 것, 어쩌면 그 나이에 어울리는 행동과 옷차림을 해야 한다는 의무가 하나씩 더해진다. 그래서 납으로 된 옷을 입는다고 표현했을 것이다.

영원할 줄 알았던 스물다섯의 나이는 어느덧 25년이라는 아주 오래전의 시간이 돼 버렸다. 삶은 크고 작은 파도가 되어 우리에게 시도 때도 없이 밀려든다.

파도를 헤치는 법을 알고 싶은데 녹록하지 않다. 어렸을 때 아버지께 배웠던 방법도, 학교에서 선생님으로부터 알게 되었던 방법도 잘 통하지 않는다. 젊었을 때는 나이가 들면 저절로 사는 방법을 터득할 것이라 믿었고 어느 정도 나이가 든 사람들이 부러울 때도 있었다. 하지만 그렇지 못했다. 하루에도 몇 번씩 나에게 부딪치는 크고 작은 파도는 몸과 마음을 지치게 한다. 하나의 파도를 넘으면 이내 더 큰 파도가 나를 덮친다.

고려시대 국사인 지눌(知訥)은 "땅에서 넘어진 자(人因地而倒者), 땅을 딛고 일어나라(因地而起)" 라 말했다. 수백 년 전의 진리는 현재, 아니 앞으로의 미래에도 인간이 존재하는 한 영원할 터이다. 넘어진 곳을 그대로 딛어야만 다시 일어설 수 있다. 일어서야 옷에 묻은 흙을 털어낼 수 있다. 그래야 또 걸을 수 있다. 넘어졌다가 일어서 본 사람만이 넘어진 사람의 마음을 헤아릴 수 있다. 넘어져 봐야 나에게 스스로 일어설 수 있는 힘이 있는지를 알 수 있다. 우리네 인생이 그렇다.

파도가 덮치건 넘어지건 어찌어찌라도 버티며 사는 게 인생이다. 아니, 인생이었다.[12)]

민혁의 길쭉하고 알록달록한 찌가 물속으로 쑥 들어갔다.

"왔다!"

민혁은 휙! 하는 소리를 내며 낚싯대를 재빨리 들어올렸다. 낚싯대 다루는 솜씨가 날카롭고 능숙하다.

초등학교 때 민혁에게 낚시를 처음 배웠다. 떡밥을 적당한 물의 양을 조절해서 개는 법이나 바늘에 끼는 방법, 초릿대 고치는 방법, 낚싯대를 적당한 타이밍에 채는 방법 등.

어렸을 적, 손에 익힌 기술은 아무리 나이가 들어도 잊지 않는다. 머리가 아닌 몸이 기억하기 때문이다. 자전거를 손을 놓고 타거나 몇 길이나 되는 강에서의 수

---

12) 조 원(2023), 유년으로의 여행. 부크크

영은 그 당시 친구들과 거의 매일 했던 놀이이다. 아직도 그때와 똑같이 할 수 있을 정도이다. 아무 생각 없이도 그냥 몸이 그렇게 된다. 기억은 머리로만 각인되는 것은 아닌가 보다.

저수지 반대편 야트막한 산 너머로 붉은 해가 뉘엿뉘엿 넘어가고 있었다. 수면은 찰랑찰랑 에메랄드빛을 내며 조금씩 반짝이고 있었다.

〒

그해 6월 말, 서현은 나에게 편지를 남겨놓고 조용히 세상을 떠났다. 서현의 아들은 상가(喪家)에 들른 나에게 편지를 전해주었다.

사랑도 언젠가 추억으로 그친다는 것을 알고 있어. 하지만 당신만은 추억이 되지 않았어. 사랑을 간직한 채 떠날 수 있게 해준 당신께 고맙다는 말을 남기고 싶어.

"어머니가 아저씨 얘기 많이 하셨어요"

"…엄마한테 어떤 이야기를 들었어?"

"그냥 미안한 것도 있고 많이 생각난다고 하셨어요."

죽음을 눈으로 목격하는 것은 너무나 힘들고 가슴 아픈 일이다. 아버지의 임종을 지켰을 때 너무 힘들었다. 내 앞에서 사랑하는 사람의 숨이 멈추는 것을 직접 보는 일은 여간 견디기 어려운 고통이 아니다.

"그래, 편안하게 눈 감으셨어?"

고등학교 3학년의 어린 아들은 어머니의 죽음을 감당하기 쉽지 않았을 것이다. 그렇지만 서현의 아들은 생각보다 씩씩했다.

"네, 중환자실에서 3일째 되던 날 편히 가셨어요. 오래 힘들지는 않으셨어요. 아저씨께 연락드리려다 못했어요."

"왜? 하지 그랬어."

"어머니께서 원하지 않으셨어요. 아픈 모습 보이기 싫다고 하셨어요."

서현이 떠난 날은 햇살이 부서지는 따사로운 봄날이었다. 서현에 대한 기억은 그것이 모두였다. 그냥, 그렇게 아무 말 없이 떠났다. 20여 년 전 나에게 큰 상처를 주며 첫 번째로 떠났고 이번에는 두 번째이자 마지막으로 나를 떠났다.

기억은 그런 것이었다. 돌아보면 내가 지나온 자리 여기저기에 하나씩 남겨두고 왔던 것들이 보인다. 나에게 바짝 붙지도 않고 멀리 떨어지지도 않는다. 기억은 그렇게 평생을 내 주위에 맴돌다가 어느새 말도, 흔적도 없이 그냥 그렇게 떠나버린다. 물론 가끔은 나의 바로 앞으로 갑자기 다가와 삶의 희망이나 절망을 잠시 주곤 한다.

사랑하는, 사랑했던 사람이 이 세상에서 없어지는 일은 슬픔과는 다른 감정의 한 종류이다. 난 그것을 '상실의 고통'이라고 표현한다. 어렸을 때 아끼던 장난감을 잃어버렸을 때의 감정, 그리고 아끼고 사랑하던 강아지가 학교에서 돌아왔을 때 더 이상 눈에 보이지 않았을 때의 감정, 그와 비슷한 것이다.

상실의 아픔은 말이나 글로 형용하기 힘들다. 아니 모든 감정이 말이나 글로써 얼마나 설명될 수 있을까?

기억은 기억 속에서 기억을 낳는다. 사람들은 평생을 기억하고 싶은 일이 있다. 그 기억을 잃지 않기 위해서는 그 일을 수시로 떠올려야 한다. 기억은 오래된 순서로 쌓이는 것도 아닐 것이다. 컴퓨터의 메모리를 복구할 때 최근의 데이터부터 복구가 되는 것이 아닌 것처럼 기억도 최근 것부터 차례대로 열리는 것은 아니다.

같은 장소와 상황을 함께 했다고 하더라도 누군가는 잊지 못할 최고의 순간으로, 누군가에게는 특별하지 않거나 다시는 떠올리고 싶지 않은 순간으로 각인되기도 한다.

다시는 느끼고 싶지 않았던 상실의 고통을 또 다시 느껴버렸다. 그것도 영원한 상실이라는 더 감당하기 어려운 고통을.

"서현…"

서현의 아들과 함께 서현을 한탄강 어느 곳에 뿌려주었다. 강물은 아무 일 없었다는 듯이 또 그렇게 유유히 흘러가고 있었다. 이름 모를 큰 새 한 마리가 수면을 낮게 날고 있었다. 슬픈 울음소리를 간간이 내면서.

ㅜ

저마다 자신의 인생 사이 사이에 그간 살아왔던 시간에 대하여 생각해 볼 때가 있다. 수학 문제집의 단원 정리 문제처럼 그간 행했던 일들에 대하여 중간평가를 하는 것, 그러고는 채점을 한 후 틀린 문제는 다시 고치고 왜 틀렸는지 풀이를 보며 확인하고.

사랑했던 연인과 헤어진 이후 차디찬 바닥에서 목놓아 훌쩍이며 행여나 다시 그 사람이 돌아올 것이라는, 어차피 그럴지도 않을 것을 알고 있으면서도, 그 기대가 절대 이루어지지 않을 것이라는 사실을 알면서도 지금의 그 시간을 부여잡고 싶어 밤을 지새웠던 날들.

'밥벌이의 엄정함'이라는 진리에 발목 잡혀 관심도 없는 문서를 수없이 생산하곤 했다. 단 1분도 마주 하고 싶지 않은 사람들과의 대화를 참아가며, 내 정신을 갉아먹는 사람들의 불평 어린 시선을 견뎌 내 가며 그렇게 처음의 내 생각과는 전혀 다른 문서를 만들 때도 있었다. 이 문서가 다른 이에게는 중요한 가이드가 될 것이라는 약간의 확신은 그 문서에 각자의 경험과 판단의 기준이 덧붙여지며 마지막에는 내가 원했던 의도와는 전혀 다른 결론의 소설이 되어버렸다. 갖가지 어이없는 평가와 별점이 달리면서.

이러면 이래서 싫고 저러면 저래서 싫고. 하지 않아야 할 트집을 기가 막히게 찾아내고 이슈로 만들어 낸다. 참 똑똑한 사람들이다.

헤어지고 난 후 절친한 친구가 따라주는 쓰디쓴 소주 한 잔과 함께 격려하는 "다 잊어버려!"라는 뻔한 말에 속기도 하고, 한편으로는 친구의 말이 맞을 것이라는 믿음으로 기억을, 고통을, 아픔을 잊으려고도 했다. 그런데 기억을 걷어낸다고 해서 가슴속에 이미 화석처럼 새겨진 추억은 어찌할까. 이미 그 화석을 여러 겹으로 눌러 찌그러뜨려 버렸는데. 꺼낼 수도, 도려낼 수도 없을 정도로 가슴 제일 아래부터 겹겹이 눌어붙어 버렸는데. 가슴을 통째 덜어내 버려야 하는데. 그게 가능한 일인가?

방송매체의 명강사가 웃으면서 해주는 힐링 이야기, 진단과 처방이라는 메카니즘으로 정신적 어려움에 놓여있는 사람들을 현혹시키는 언어의 테크닉. 사람의 마음을 주제로 한 현란한 글솜씨로 행복할 것과 열심히 살 것을 강요하는 수 많은 자전적 에세이들.

얼핏 보면 행복, 삶에 대한 용기를 불어넣어 주고 나도 그렇게 살 수 있을 것이라는 의지를 심어주는 것들. 하지만 보고 듣고 읽을 때뿐이다. 잠시만 시간이 지나면 모든 것은 원래대로 돌아가 있다. 삶에서 행복과 용기는 그리 쉽사리 품을 수 있는 것이 아니다.

시간을 두 개로 쪼개면 시간 시간이 되어 더 많은 인생의 여유를 잘게 잘게 나눌 수 있을 것도 같지만 절대 그렇지 않다.

오히려 시간과 시간 사이사이의 조그만 틈이라도 그 여유를 느끼고 슬픔을 그 틈에 끼워 넣는 것이 옳을지도 모른다.

책장을 넘긴다고 해서, 한 단원이 정리된 후 새로운 다음 단원이 시작되는 건 아니다. 틀린 문제는 또 틀리게 되고 왜 틀렸는지 분명히 보완하고 이해했다고 생각한 문제들이 다른 단원에서 나오면 또 틀린다. 정답지를 보아야 비로소 왜 틀렸는지 알게 된다.

그렇게 하고도 다음 시험에서 또 틀리는 일이 반복된다. 인생이 그렇다. 지나가 봐야 정답을 알게 된다. 물론, 이미 늦었다. 채점은 끝났고 점수는 빨간 색연필로 쓰여 버렸다.

누가 인생을 살아볼 만한 가치가 있다고 했던가. 그 말을 했던 사람은 인생을 가치 있게 살았었나? 가치

있게 사는 기준은 저마다 다를 진데 앞뒤 없이 열심히만 살 것을 강요하며 '열심히 산다는 것'의 기준을 자기 마음대로 설정해 버린다. 하물며 서울역 앞의 노숙자도 나름 자신은 열심히 살았다고 여기는데 말이다.

그 사람들에게 이야기해 주고 싶다. "알아서 열심히 살 테니 참견이나 어쭙잖은 훈계 말고 당신이나 잘 살아라! 당신 인생만 인생이냐 내 인생도 인생이다. 내 인생이다! 누가 누구보고 인생 얘기하냐. 그 시간에 당신 인생이나 신경 써라. 내가 알아서 살 테니까."

15여 년이 훌쩍 지났다. 난 알츠하이머라는 병마에 결국 힘없이 무너졌다. 여러 합병증으로 이제는 회복 불가능한 상태가 되어 경기도 포천의 한 요양원에 누워있다.

혼자 힘으로 할 수 있는 일이 아무것도 없다. 어떨 때는 밥 한 숟갈 혼자의 힘으로 뜰 수도 없다. 눈만 멀뚱멀뚱 뜬 채 병실의 천장을 쳐다보며 온종일 지낼 때가 많다.

결국 지연을 선택하지 못했다. 연우는 스페인으로 유학을 떠났다. 내 곁에는 지금 아무도 없다. 기억은 모두 지워지고 내 머리는 이제 썩을 대로 썩어버렸다. 이제 남은 것은 나의 늙어빠진 몸뚱이뿐이다.

인생은 생각한 만큼 길지도 않았고 그렇다고 그다지 짧지도 않았다. 수없이 많은 희로애락과 많은 인연, 만남은 일순간 거품처럼 허무하게 사라져 버렸다.

애쓰는 시간만큼 애쓰지 않는 시간이 필요했으나 그렇지 못했다. 오히려 애쓰지 않으려 더 많은 애를 썼다. 눈에 보이지도, 손에 잡히지도 않는 '영원한 사랑', '끝없는 우정', '변치 않을 믿음' 따위의 쓰레기들을 믿고 인생의 소중한 시간을 낭비했다.

난 이제야 비로소 알게 되었다. 인생의 마지막은 내가 내 힘으로 아무것도 할 수 없을 때라는 것을.

그렇게 많은 기억은 연기처럼 순식간에 허공으로 사라져 버렸다. 내가 누구인지, 어디서 살았는지, 무슨 일을 했었는지 아무 기억이 없다. 그냥 여기에 존재한다는 사실만 어렴풋이 알고 있다. 그리고 그 시간마저도 이젠 얼마 남지 않았다는 것도 잘 알고 있다.

어느 순간 햇살이 따듯하고 길가에 연분홍으로 아름다운 코스모스가 보이는 좁은 길을 기분 좋게 걷고 있으면 이미 난 죽은 것이다.

하늘나라에 먼저 가신 어머니 아버지가 보고 싶다. 살아생전 부모님 집에 갔을 때처럼 햅쌀로 지어주신 따듯한 밥과 내가 좋아하는 김치찌개를 내어주시며

"아들! 잘 왔어, 어서 들어오너라."라 말씀하시며 엷은 미소로 나를 반기실 것이다.

온화하신 표정으로 다정하게 내 얼굴을 만져주시던 아버지의 손길이 미치도록 그리워 눈물이 마냥 흐른다. 나는 그렇게 부모님 곁으로 천천히, 그리고 조용히 다가가고 있었다.

지금 내 손엔 쇼펜하우어의 책이 힘없이 들려져 있다. 마지막으로 내가 읽은 글은 쇼펜하우어의 행복에 대한 아포리즘(aphorism)이었다.

행복은...

잡을 수 없는 것에 대한 집착을 버리는 것,

지금 가지고 있는 자그마한 것에 만족하는 것.

앞으로에 대한 불안을 내려놓고 오늘에 웃는 것.

고통과 고뇌와 번민과 번뇌에 파묻힌 행복의 순간을 찾고 기뻐하는 것.

그것이 행복이다.

바로 이 순간 행복이 무엇인지 깨달았다. 난 그렇게 살았어야 했다. 휠체어와 간병인에만 의지해서 간신히 요양원 뜰에 나가 잠시 볕을 쬐는 게 내가 할 수 있는 모든 일이었다. 내 힘으로, 내 의지대로 할 수 있는 것이 없다. 난 그렇게 기억을 잊고 삶의 마지막을 기다리고 있었다.

- The end -